Michelle Hviid

SKRU OP FOR
LIVET

20 KÆRLIGE LOS TIL AT
TURDE MERE, GIVE MERE OG
FÅ DET HELE DOBBELT IGEN

Pretty Ink

Skru op for livet
© Michelle Hviid og Pretty Ink/ROSINANTE&CO, København 2012
1. udgave, 1. oplag, 2012
Bogen er blevet til i samarbejde med Karen Seneca
Forlagsredaktion: Anne Matthiesen
Omslag: Sanna Sporrong
Fotos: Tine Harden
Sat med Garamond hos Christensen Grafisk
og trykt hos Bookwell, Borgå
ISBN 978-87-638-2510-8
Printed in Finland 2012

MIX
Papir fra
ansvarlige kilder
FSC
www.fsc.org   FSC® C041322

Pretty Ink er et forlag i ROSINANTE&CO
Købmagergade 62, 4. | Postboks 2252 | DK-1019 København K
www.rosinante-co.dk

FORORD

Tænker du nogensinde over, hvordan du får mest muligt ud af dit liv? Hvad der skal til, for at du møder de små og store glimt af lykke? Og hvordan du selv kan være med til at sparke lykkefølelsen i gang?

Det tror jeg, at vi alle sammen gør indimellem. Jeg har for længst taget den beslutning, at jeg *vil* skrue op for livet, jeg vil give alt det, jeg kan, til andre mennesker, og jeg vil være lykkelig ... det meste af tiden.

Jeg anerkender, at livet også gør ondt og forvirrer. Det er jeg ikke bange for, jeg har budgetteret med et stort antal tårer, pyt, så længe jeg er *mest* lykkelig.

De sværeste perioder af mit liv var, når jeg glemte at mærke efter, men bare fortsatte ud ad livets landevej på cruise control. Når jeg spurter af sted i hverdagens hamsterhjul, glemmer jeg de vigtigste ting. Derfor har jeg skrevet et manifest, som jeg læser, genlæser og ændrer efter behov.

Mit manifest for livet

1. Tro på fællesskabet
2. Handl på dine drømme
3. Del meget
4. Grin meget
5. Vis din sårbarhed
6. Mærk efter
7. Husk at nyde
8. Vær ærlig
9. Gør dig umage
10. Vær ikke bange for at fejle
11. Tag ud og se verden
12. Elsk meget
13. Pas godt på dig selv
14. Husk at gå udendørs
15. Lad dig ikke styre af penge
16. Lad dig ikke begrænse
17. Vær stolt af dig selv
18. Overrask dig selv
19. Se din frygt i øjnene
20. Accepter det, du alligevel ikke kan ændre

Jeg forsøger hver dag at gøre noget, som mit fremtidige jeg vil takke mig for. Det er en lille daglig investering i min fremtidige lykke. En opsparing til gråvejrsdage.

Når jeg står ud af sengen om morgenen og tager løbeskoene på, igen, har jeg en indre dialog om, at jeg hellere ville ligge i min seng under den varme dyne. Men det passer ikke. Hvis jeg vil være lykkelig, så kræver det en vedholdende og insisterende indsats. Og det gælder naturligvis ikke kun løbetræning, men alt i livet.

Den eneste, der har ansvaret for min lykke, er nemlig ... mig selv.

Det kan være sindssygt svært at bryde en vane eller ændre sit liv, men det er til gengæld helt umuligt at fjernstyre andre. Så hvis du spiller en indre plade a la 'Hvis bare min kæreste gjorde ...', 'Hvis bare min chef forstod ...', 'Hvis bare min bankrådgiver ...', 'Hvis bare solen skinnede ...', hvis, hvis, hvis ... Så tag pladen af, og knæk den.

Du kan ikke fjernstyre andre mennesker. Men du kan benytte dig af dine egne valgmuligheder, også alle dem, du har glemt, at du har. Den største begrænsning for vores egen lykke er os selv. Prøv at spørge dig selv: 'Hvorfor ikke mig?'. Hvorfor skulle lige netop du ikke kunne gøre noget fantastisk og ekstraordinært på arbejdet? Hvorfor skal du ikke være den, som oplever noget enestående? Hvorfor skal du ikke have en sund og stærk krop? Hvorfor skal du ikke leve i et ærligt og passioneret parforhold? Hvorfor egentlig ikke dig?

Hvad skal der til, for at det vil ske? Hvad ville der ske med dit liv og din hverdag, hvis du gjorde dig virkelig umage og gav din allerbedste indsats i tre måneder? Jeg håber, at du gør det!

I denne bog vil jeg dele ud af mine tanker, mine strategier, fortælle om de valg, jeg har truffet i livet. Både de kloge og de virkelig dumme.

Mest af alt interesserer det mig, hvordan vi *lever* livet. Jeg drømmer om, at flere mennesker turde mere. Dele mere ud af dem selv, turde mere, smage alle frugter på hylden, tage en stor bid af livet. Hver dag.

Mit manifest er min motivation og min ledestjerne. Jeg deler det med dig i denne bog i håb om, at du vil lade dig inspirere og måske spørge dig selv:

Hvad gør mig lykkelig? Hvornår har jeg sidst taget mig tid til at mærke efter og lytte til svaret? Hvordan kan jeg blive (mest) lykkelig?

Michelle Hviid

INDHOLD

KAPITEL 1

TRO PÅ FÆLLESSKABET

Det vigtigste i livet er dine relationer til andre mennesker. Vi visner, hvis vi ikke har nogen at dele livet med. Jeg agerer med stor stolthed hyrdehunden for min flok. Jeg inviterer. Jeg insisterer på fællesskabet.

Jeg så engang en tv-udsendelse med Johannes Møllehave og Poul Nesgaard. Interviewet foregik hjemme hos Poul Nesgaard. De sad i en sofagruppe foran et stort vindue med udsigt til en sø. Poul fortalte, at han startede de fleste morgener med at ro en tur i sin kajak på søen. Johannes kunne med det samme mærke, hvor magisk det måtte være, og udbrød (frit efter min hukommelse): 'Det må være helt magisk og fantastisk'.

Jeg har aldrig glemt Pouls begavede svar: 'Ja, men det magiske opstår først, når jeg møder en anden kajak på vandet, og vi hilser på hinanden ved at løfte hånden, for så har vi delt oplevelsen. I fællesskabsfølelsen stiger lykken'.

En morgen, da jeg var på vej i min bil til et møde, så jeg ud af øjenkrogen, at der lå væltede kasser ud over vejen. Hulter til bulter. Og på fortovet lå der grøntsager og frugter spredt ud over det hele. Jeg parkerede resolut og besluttede mig for at hjælpe med at samle op.

Det viste sig, at en grønthandler havde haft lidt af et palleløfteruheld. Den stakkels mands varer fra morgenturen til Grønttorvet lå spredt ud over det hele: æbler, æg, lime, mango, champignon, kaos, kaos og kaos.

De fleste af varerne kunne reddes, men det så temmelig uoverskueligt ud, og det var tydeligt, at han havde mistet overblikket. Han stod bare helt ulykkelig og betragtede frugtsalaten på asfalten. Jeg begyndte at samle grøntsagerne op og blev pænt irriteret, da jeg lagde mærke til, at lige ovre på den anden side af gaden stod ti mennesker i kø foran posthuset og ventede på, at posthuset åbnede. De stod bare og så på os.

Så jeg løb derover, spurgte hvem der ville hjælpe, og fik organiseret: 'Du samler lime, jeg samler rødbeder'. Vi fik samlet alle varerne op, sorteret dem i kasserne og båret dem ind i butikken. Grønthandleren var rørt til tårer. Og det var jeg sgu også.

Jeg tror, at han sagde mange tak 50 gange, men jeg tror faktisk, at den lille handling betød mere for mig end for den søde grønthandler. Og for grønthandleren betød vores hjælpende gestus nok mere end selve grøntsagerne. Samtidig var alle fra posthuskøen glade for at hjælpe. Det var en tre gange win-win-win-situation.

Vi har alle prøvet at smadre en vase med tusinde glasskår overalt og haft brug for hjælp til at samle alle de små skår op. Vi genkender situationen med at komme galt af sted i en eller anden målestok.

En dag kom min rengøringsdame, Lissie, og var helt ulykkelig. Hun er midt i 70'erne og har gjort rent for mig i 13 år. Jeg holder meget af hende. Hun plejer at være glad, men det var hun ikke den dag.

Hun havde nemlig glemt en pose med smykker, da hun rejste hjem fra en ferie i Portugal. Smykkerne har kun værdi for hende, til gengæld har de stor affektionsværdi, for det er gaver fra et helt liv – blandt andet en halskæde, som hun bar til sin datters konfirmation.

Jeg besluttede mig for at lege detektiv. Fandt frem til rejsebureauet. Til hotellet. Til værelsesnummeret. Til oldfruen. Og til sidst til smykkerne – HURRA! Lissie græd af glæde, da hun blev genforenet med sine smykker. Og jeg græd med hende.

Da jeg skrev det på Facebook, fik jeg 600 'likes' og kommentarer i løbet af et par timer, for vi kan alle sammen lide gode gerninger. De fleste mennesker er kodet til at hjælpe hinanden. Det ligger i vores dna, men vores helt basale hjælpe-gen kan nogle gange ligge dybt begravet under bunken af girokort, vasketøj, forældremøder og madpakker.

Det er synd, for sandheden er, at man får overskud af at hjælpe. Af at være en del af og yde noget til fællesskabet. Det er de små scenarier, hvor jeg stopper op og hjælper et andet menneske, at jeg avler overskud. Hvis man ser sådan på det, vil man opdage, at det faktisk ikke kræver overskud at hjælpe andre. Det giver overskud. Det er den smarteste bank i hele verden: Karmabanken.

Her er i øvrigt mit svar til alle de søde Facebook-venner: 'Det kan være, at I tror, at I ved, hvor glad jeg bliver. Det kan I gange med 100 og så smide en is oveni. Tak. Det er så skidesmart, det her. Ved at gøre Lissie glad gør jeg mig selv endnu mere glad. Jeg gør hotelmanden glad. Og derudover så også dig og hele Facebook. Det er i sandhed en god dag'.

Det er nemlig i mødet med andre mennesker, når vi virkelig ser hinanden, at vi får de små, fine korte glimt af lykke, som vi alle higer sådan efter. Gå en tur på gaden. Hils på en, du ikke kender. Rejs en cykel op, som er væltet. Forær dit dameblad til en anden i toget, efter du har læst det. Giv 20 kroner til en hjemløs.

Når min søn vasker op, er der en tendens til, at han er færdig, før jeg ville have vurderet, at han var færdig. Når jeg så kommer ind i køkkenet og ser, at skærebrættet ikke er vasket, at opvaskemaskinen ikke er tændt, at der er krummer overalt på spisebordet, så har jeg opdaget, at det er en god løsning at stikke hovedet ind på hans værelse og sige: 'Vil du lige gå op og se på køkkenet med *mine* øjne?' Så kan han pludselig se det hele.

Jeg kan kun anbefale dig at gå ud i livet med nye øjne. Dem, du plejer at se med, er blevet immune for en masse fantastiske ting. Hvis du synes, at det er nemmere at se med mine øjne, må du gerne låne dem. Eller tænk på, hvordan mennesker du kender, som let begejstres, ser verden, og leg med tanken om, at du ser gennem deres øjne.

16

Jeg elskede filmen *Avatar*, alene fordi de hilser hinanden med 'I see you'. Sådan bør det være. Det er en klog måde at hilse på. Jeg SER dig, jeg nøjes ikke med blot at kigge, nej, jeg ser dig.

En anden måde at dyrke fællesskabet på er at forbinde mennesker med hinanden. Jeg elsker at sætte mennesker i kontakt med hinanden og se, hvad de nye forbindelser kan skabe sammen. Jeg har det lidt som om, at jeg sidder og forbinder ledninger ligesom en telefoncentraldame i 1950'erne.

Jeg kan slet ikke lade være. Jeg gøder og vander konstant. Hvis jeg tilfældigt støder på en spændende kvinde, som muligvis er interessant for en andens mors virksomhed, skriver jeg omgående til dem begge to. Måske bliver det en god kontakt for begge parter?

Jeg fortæller vidt og bredt om, hvem jeg kender, hvad de kan, og hvordan det kan være til gavn for lige netop ... dig. Jeg gør det hele tiden, og jeg gør det meget konsekvent. Det, der kun koster mig kort tid, kan måske komme til at betyde en hel masse for de mennesker, jeg forbinder.

Der er et frynsegode ved at være 'damen på telefoncentralen'. Jeg opsnapper konstant små brudstykker af samtalerne og ved, hvad der foregår alle mulige steder.

Mit hidtil største fællesskabsprojekt var *Michelles Mission*, som jeg lavede i 2006. Et stort integrationsprojekt, hvor jeg sammen med DR1 lavede Running dinner for 1000 danskere og nydanskere. Min kongstanke var, midt under

17

Muhammedkrisen, at vi alle har mange flere ting til fælles end de få forskelle, vi alle ser os blinde på.

Uanset hvor du er fra i verden, uanset hvilket land du er født i, uanset hvad du er flygtet fra, uanset religion og trosretning, så har vi så meget til fælles. Vi har alle brug for mad, husly, tryghed, kærlighed. Vi elsker alle vores børn. Vi ønsker alle at få det bedste ud af livet. Derfor brændte jeg for, at danskere og nydanskere mødtes med øjenkontakt, på helt nært hold, hjemme hos hinanden. Det lykkedes, og jeg er meget stolt af det projekt.

Efterfølgende modtog jeg et brev fra en deltager. En pensioneret mand fra Rungsted. Han og hans kone havde set programmet, de havde været meget skeptiske, og det var resulteret i et stort skænderi med hans voksne datter. Bare for at lukke munden på datteren havde ægteparret meldt sig til min event. De endte med at spise hjemme hos en somalisk familie på Nørrebro.

Han skrev til mig et år efter. Han skrev »Denne aften ændrede mit syn på mennesker, muligheder og kulturer. Vi mødes jævnligt med vores somaliske venner, vi har haft børnene med i Zoo sammen med vores egne børnebørn. Tak fordi du åbnede denne dør på klem for min kone og mig.«

Jeg græd, da jeg fik det brev. Alene det lille brev var det meget store arbejde med *Michelles Mission* værd. Det er nemt at dømme andre mennesker. Det er straks meget sværere at forstå. Døm ikke, forsøg at forstå.

18

Tre eksempler på, hvad fællesskabstanken kan betyde

1 En lørdag var min ekskærestes gode ven til middag hos mig. Han var lækker, sød og single, og pippede lidt op om, at nu var han ved at være kæresteklar. Jeg har afsindigt mange kvindelige singlebekendtskaber på Facebook, så jeg beskrev singlemanden på min væg, og han blev simpelthen flået ned fra hylderne.

2 Jeg så tilfældigvis, at en caster manglede statister, og huskede, at hende, der havde ordnet mine negle, talte om, at hun gerne ville være skuespiller, så jeg tog en screendump af casterens status og mailede den til 'neglepigen'.

3 Jeg havde en veninde, der ikke havde råd til en sexolog, men som virkelig havde brug for det. Så skrev jeg til en sexolog, jeg kendte, om ikke vi kunne finde ud af noget. Det endte med, at min veninde fik gratis timer fra en anden sexolog, som min veninde kendte, fordi den sexolog manglede erfaring, og alle var glade. Jeg var glad for at hjælpe, sexologen var glad for at gøre noget godt for en anden, og min veninde var glad for at få hjælp.

Når man dyrker fællesskabet og netværk så hæmningsløst og konsekvent som jeg, vokser ens netværk også dag for dag. Mit netværk arbejder for mig, når jeg sover. Mit netværk ser, hvad

19

der foregår i min blinde vinkel. Mit netværk er gået hen og blevet min største styrke. Jeg ved altid, hvem der kan hjælpe mig videre med mine ideer. De lytter oven i købet, når jeg ringer.

Det er afsindigt smart, og jeg vil gerne anbefale det. Tænker du over, hvordan du opbygger dit netværk, så overvej i stedet at blive din egen telefoncentral, og forbind dine kontakter. Også selvom der ikke umiddelbart er gevinst i sigte for dig. Byg dit netværk op, når du ikke har brug for det. Inden du ser dig om, er det vokset, og du har en masse kontakter, du kan trække på, hvis du en dag får brug for det.

Jeg har indimellem diskuteret med min ekskæreste om rimeligheden i, at jeg altid var den, som inviterede til alting og tog initiativ til det meste: Påskefrokost. Julestue. Picnic. Middage. *Whatever*.

Han satte spørgsmålstegn ved, om det var rimeligt, at jeg altid er dynamoen, og ved du, hvad jeg svarede ham? Jeg er da møghamrende ligeglad! Hvis jeg har lyst til at invitere gæster. Hvis jeg har overskud til at invitere gæster. Hvis jeg har økonomi til at invitere gæster. Så gør jeg det.

Min kongstanke er, at jeg netop derfor har så meget energi. Jeg lægger måske nok hus til, men når gæsterne kommer, så snylter jeg al deres energi, inden de går. Jeg har stor gavn af at mænge mig med mennesker, der ikke altid er magen til mig. Det udvider min horisont.

Hvis universet og karmapolitiet fungerer, som jeg tror på, så går mine gæster også fyldte herfra.

Det behøver ikke at være besværligt eller dyrt at invitere gæster. Tværtimod. Hvis man har et krav om, at alt skal være perfekt, kan tanken om at fylde sit hjem med en hel masse mennesker være helt uoverskuelig. Men der er ingen mennesker, som besøger et andet menneske for at tjekke rengøringen i hjemmet. Vi besøger hinanden for at have det godt sammen – om det er risengrød eller kalvemørbrad, der bliver serveret, er sådan set ligegyldigt.

Jeg hørte engang en radioudsendelse, hvor Vibeke Windeløv deltog. Hun sagde noget i stil med 'Vi sidder på mælkekasser på kollegiekøkkener og griner og hygger os og laver store planer for fremtiden. Vi udlever drømmene, installerer os i store samtalekøkkener på dyre fine stole, komplicerer alting og drømmer om dengang, vi sad på mælkekasser'.

Jeg elsker det enkle og ukomplicerede. Jo færre regler, des nemmere at være både værtinde og gæst. Her er nogle arrangementer, jeg elsker. De er overskuelige, de bygger på fællesskab, og de er sjove. Jeg vil varmt anbefale dem alle tre:

Singlesøndage

Bedst om vinteren. Det er et lille, simpelt koncept, som går ud på, at jeg – når jeg er single – inviterer alle mine singlevenner over i min sofa om søndagen i mine børnefri weekender.

Vi mødes ved 13-tiden og går i Blockbuster. Her skændes vi om, hvilke film vi skal se. Det er umuligt at finde en film, som alle ikke har set. Det er en del af legen.

21

Så putter vi os hulter til bulter i min sofa. Det er rart at putte med en voksen, når man er single.

Her ligger vi og sludrer, sover og ser film, indtil vi bestiller takeaway. Herefter stener vi videre.

Det er så hyggeligt, og jeg kan ikke anbefale det nok.

Nabomad

'Michelles mad-mandage', 'Spis og skrid' – kært barn har mange navne.

Man mødes på en hverdag klokken 17, hjælpes ad med at bikse noget mad sammen. Ikke så mange regler, ikke noget koordineret borddækning, sandsynligvis bare pasta med kødsovs.

Alle sludrer, mens de giver en hånd med borddækning og gulerodsskrælning. Efter maden hjælpes vi med at tage af bordet og vaske op. Inden klokken er 20, er gæsterne skredet igen, og køkkenet er rent, så der er ro til at putte ungerne.

Det er netop hyggeligt, fordi der er forventningsafstemt inden ankomst. Og forventningen er:

1. Hygge frem for postyr.

2. Tak fordi I kom, især tak fordi I går igen.

Det er så hyggeligt, og jeg kan ikke anbefale det nok.

Facebookpicnic

Bedst om sommeren. Skriv en status-update: 'På tirsdag spiser vi på stranden ved Charlottenlund Fort. Kom, hvis I har lyst. Tag et tæppe, noget mad og en bold med'. Måske kommer der to? Måske kommer der ingen? Måske kommer de alle sammen?

Det bliver sandsynligvis virkelig hyggeligt, uden at det overhovedet bliver bøvlet. Måske er der nogen af overskudsforældrene, som har en drage med og hjælper børnene med at sætte den op? Måske synes dragefaren, at jeg er overskudsagtig, fordi jeg har bagt pølsehorn? Jeg vil nemlig bage mange pølsehorn for at undgå at have ansvaret for, at en drage kommer i luften. Børnene elsker det med stor sikkerhed.

Mine forældre har faktisk en tradition med hele deres vennegruppe. De laver picnic hvert år den 23. december. Det kræver uldstrømper, men det må være hyggeligt, siden de bliver ved på tyvende år.

Picnic er så hyggeligt, og jeg kan ikke anbefale det nok.

> Det kræver ikke overskud at hjælpe andre. Det *giver* overskud.

KAPITEL 2

HANDL PÅ DINE DRØMME

Drømme foregår i hovedet. Handlinger foregår i virkeligheden. Lev ikke livet inde i hovedet. Smag, lugt, hør, mærk, hop og le. Tilsæt dine drømme handlekraft og energi. Jeg tror oprigtigt på, at vi fortryder det, vi ikke gør, uendeligt mere, end vi fortryder det, vi gjorde, endda selvom vi måske fejlede. Pyt. De, som prøver, er altid langt foran dem, som ikke engang turde forsøge.

It-investoren Morten Lund var med til at starte gratisavisen Nyhedsavisen op. Avisen overlevede kun i to år, og Morten Lund blev erklæret personlig konkurs.

Naser Khader stiftede sit eget parti, Ny Alliance. Partiet holdt kun under det navn i halvandet år, skiftede navn til Liberal Alliance, og Naser Khader trak sig ud med begrundelsen, at han ikke længere havde hjertet med.

Selvom begge projekter kuldsejlede med 100 km i timen og endte anderledes, end de to mænd havde tænkt sig, har jeg endeløst mere respekt for dem, som turde forfølge deres drømme, end dem, som bare sidder og snakker. Naser Khader

25

og Morten Lund har stadig gjort mere end de fleste. Når de vågner om morgenen, kan de til enhver tid se sig selv i øjnene. Hellere det end at se ind i sit eget tomme, modløse blik.

Der er heldigvis masser af succeshistorier om folk, som stædigt arbejder på at realisere deres drømme, folk, der rejser sig og arbejder videre, når de falder, folk, der lykkes. Faktisk er de fleste succeser bygget på et fundament af fejltagelser. Hver gang det ikke lykkes, er du en erfaring klogere på, hvordan du ikke skal gøre.

Så følg din skøre drøm. Og selv om den ikke ender der, hvor du troede og håbede, da du startede med at forfølge den, så har du stadig udlevet din drøm. Du har gjort mere end de fleste. Lyt efter dit hjerte, det taler sandheden.

Danskernes største forhindring må være frygten for at fejle. Vi gøder den frygt, indtil den ender med at blive en selvopfyldende profeti, den største fejl af dem alle. Så når du sidder og frygter, at det kan gå galt, hvis du forfølger din drøm, så prøv at tænke på, hvor galt det kan gå, hvis du ikke går efter drømmen. Og hvordan du selv opfatter de mennesker, der har kæmpet for at realisere deres drømme.

Hvem af disse to respekterer du mest? Hvem har du selv lyst til at være?

A: Hele sit liv drømte hun om at starte sin egen virksomhed. Hun gjorde det. Hun kæmpede med blod, sved og tårer, men timingen var dårlig, verden forstod ikke projektet, så hun måtte lukke ned.

26

Eller:

B: Hele sit liv drømte hun om at starte sin egen virksomhed. Hun havde mange forestillinger om, hvordan det skulle være, men hun turde ikke. Hun talte om det i 20 år uden at tilsætte handlekraft. Nu siger hun med tomme øjne og tænker: Sådan blev det for mig.

Der er ikke noget, som bare 'blev'. Du og jeg er et produkt af de valg, vi har truffet (eller ikke har truffet) i livet. Vi vælger alle sammen selv vores sti. Hvis vi intet vælger, så vælger det os. Så kan vi sidde med uforløste drømme og gentage 'Sådan blev det for mig'. Jeg *hader* den sætning.

Jeg har en håbløst ligegyldig handelsuddannelse på HG-niveau. Den har jeg sørme forvaltet godt. Da jeg for et par år siden blev intelligenstestet live for åben skærm sammen med 150 andre, var jeg den eneste, som, før jeg kendte resultatet, sagde, at min intelligenskvotient godt måtte offentliggøres. For hvis den nu viste sig at være lav, så kunne jeg da læne mig op ad, at jeg havde forvaltet mine ressourcer godt.

Jeg har intet at skjule. Igen en af mine grundsten til en stor frihedsfølelse: Jeg har intet at skjule.

Min mor er uddannet puddelhundeklipper. Det er virkelig en skør uddannelse. Men hvad betyder det, når man som hun har levet et passioneret og sjovt liv? Hun startede en virksomhed op (igen), da hun var midt i 50'erne. Hun har for nylig solgt den. Hun er sammen med min far ved at renovere en kæmpe bjælkehytte midt ude i en skov. De købte hytten på

27

tvangsauktion. Et fuldstændig uoverskueligt projekt. De er begyndt fra en ende af.

I en alder af 60 år besluttede min mor sig for at lære tyrkisk, og nu taler hun sproget. Det vidner om, at vi aldrig har truffet det sidste store valg i livet. Vi kan bare vælge igen. Du kan bare vælge igen. Lige nu. Hvad vælger du?

Da jeg var i lære i et interiør- og designfirma som ung, knoklede jeg på, for jeg kunne lide det, og jeg opdagede, at jeg var god til det. Både til at spotte nye ting og tendenser før andre og til at mase på, indtil jeg nåede målet. Jeg stoppede ikke, hvis der var forhindringer – det var bare noget, der skulle elimineres.

Og så kunne jeg – og kan stadig – se målet for mig. Jeg kan se slutresultatet, så snart ideen opstår. Hvis vi for eksempel skulle på messe, kunne jeg se vores stand for mig. Jeg kunne se, hvordan den så ud, og hvad der var i den, og så arbejdede jeg baglæns – fra slutresultatet i mit hoved og til alle de ting, der skulle ordnes, før det opstod i virkeligheden.

Sådan var det også, da jeg flyttede ind i min lejlighed. Hvor andre så det som et uoverskueligt projekt, kunne jeg se slutresultatet med det samme, og så var det om at starte fra en ende af.

Når man har målet for øje, så bliver forhindringer og praktiske problemer bare noget, der skal løses skridt for skridt. Det er godt at øve sig i det: Se det store billede først og så sætte i gang.

Da min læreplads var slut, og ejeren belønnede mig ved at vinke farvel, startede jeg min egen interiørvirksomhed 'Illusion' op i en alder af 23. På trods af det elendige firmanavn gik det godt. Jeg knoklede, fik masser af ordrer, men måtte efterhånden sande, at jeg ikke nød det. Jeg forstod mig ikke på økonomi. Jeg endte med at bruge det meste af min tid på økonomi og papirarbejde. Jeg hader regnskaber, tal og papirarbejde.

Det var ikke det, jeg havde forestillet mig. Jeg var ikke glad. Så selvom jeg havde skabt en succes, valgte jeg at lukke ned efter et par år.

Alle sagde til mig: 'Hvis du lukker nu, vil du fortryde det resten af dit liv'. Jeg lyttede uden at høre efter. Jeg tænkte mig om, jeg vidste, at kun jeg havde svaret. Jeg lukkede og vidste, at dette ville jeg aldrig fortryde. Det er et glimrende eksempel på, at man bliver nødt til at lukke andres stemmer ude og lytte til sin egen.

Da min søn, Benjamin, var et halvt år gammel, var jeg klar til at starte en virksomhed igen. Denne gang var det sammen med Benjamins far, som er kok. Vi startede cateringfirmaet 'Ikke Altid Kaviar' op. Vi var ikke særligt gamle, og vi havde næsten ingen penge, så vi blev nødt til at lave maden hjemme i vores toværelses lejlighed på Sankt Hans Torv i begyndelsen.

Da vi havde været i gang et stykke tid, fik vi en ordre til 100 mennesker. Vi havde ikke noget kølerum til al den mad, så vi måtte bruge et soveværelse som kølerum. Det var heldigvis vinter, så vi åbnede vinduet, slukkede for varmen og opbeva-

29

rede al maden derinde. Min ekskæreste havde købt tre lam hos en halalslagter, så vi hængte et lam i hvert vinduesfag og skærmede med vattæpper, så eventuelle nævenyttige nysgerrige naboer ikke kunne se, at der hang døde lam i vinduerne.

Vi knoklede i døgndrift med virksomheden og investerede i et rigtigt produktionskøkken på Frederiksberg. Det var en hård tid. Jeg pressede for meget på. Det var nok mere min drøm, end det var min ekskæreste Kenneths, og jeg blev mere og mere frustreret. Og sur. Og lærte på den hårdeste måde, at når en dejlig, skøn og glad mand har en helt vildt sur 'kælling' derhjemme (mig), så er det kun et spørgsmål om tid, før han finder en glad og smilende 'kælling' ude i byen.

Firmaet lukkede, da vi gik fra hinanden, og jeg stod igen uden arbejde og indtægt. I en alder af 26 år var jeg kuldsejlet med to virksomheder. Min drøm var fortsat at være selvstændig og at lave noget, jeg syntes, var sjovt. Det var næsten lykkedes, men så alligevel ikke.

I en årrække arbejdede jeg i ligegyldige, men o.k. jobs. Jeg var single, mor til en lille dreng. Jeg var i den grad røget ind i hamsterhjulet. Jeg løb og løb uden at komme nogen vegne. Jeg arbejdede i et forsøg på at betale min husleje nogenlunde til tiden. I en lang periode glemte jeg fuldstændig at forholde mig til spørgsmål som:

◆ Hvilken slags mor vil jeg være?
◆ Hvad ønsker jeg mig af livet?
◆ Hvad drømmer jeg om?
◆ Hvor møder jeg lykken?

Jeg havde så travlt med at overleve, at det allermest vigtige blev lagt nederst i en bunke af ting, jeg aldrig nåede at forholde mig til. Hvornår har du sidst stillet dig selv de spørgsmål? Og taget dig tid til at mærke efter og virkelig lytte til svaret?

Den sidste arbejdsplads, jeg var på, var som marketingkoordinator på Jobzonen.dk. Et fint job. En fin løn. Søde kolleger. Jeg satte slet ikke spørgsmålstegn ved det. Jeg cyklede bare tomt derhen hver dag og gjorde, som nogle forventede af mig. Det var et godt job, men ikke *godt nok*.

Jeg var så hårdt ramt af 'Sådan blev det for mig'-følelsen, at jeg helt havde glemt, at jeg havde valgmuligheder. Jeg havde glemt alt om, at det var mit eget ansvar. Jeg havde fortrængt, at det aldrig er for sent at vælge noget nyt. Igen og igen.

Men heldigvis fik jeg mit livs åbenbaring forærende af min fireårige søn. Hans børnelogik gav mig klarsyn og fik mig på sporet af virkeligheden.

Vi havde tilbragt en hel søndag på stranden i Hornbæk. En fantastisk dag med sol og leg og gode samtaler. Næste dag, da jeg fulgte ham i børnehaven for igen at kunne cykle ind på mit middelmådige arbejde, kiggede han mig ind i øjnene og sagde med et barns renhed: 'Mor, bare vi skulle på stranden igen i dag'.

Jeg satte min auditive mor-autoreply på – uden at forholde mig til vanens magt og hvor meget, jeg lå under for omverdenens forventninger – autoreplyen, som bare kører pr.

31

automatik uden at kommunikere med hverken hjerte eller hjerne, og jeg svarede: 'Der er ikke noget i hele verden, jeg hellere vil, men jeg skal på arbejde!'.

Jeg hørte ikke, hvad jeg selv sagde, men det gjorde Benjamin. Han kiggede undrende på mig og serverede så virkeligheden i en knockout, der ramte mig både i synet og i mellemgulvet simultant. Det kloge, rene, uskyldige og uspolerede lille væsen sagde nemlig: 'Hvis der ikke er noget i hele verden, du hellere vil, så forstår jeg dig ikke.'

Vi lader den lige stå et øjeblik: 'Hvis der ikke er noget i hele verden, du hellere vil, så forstår jeg dig ikke'.

Jeg kunne ikke svare uden at lyve. Jeg kunne ikke fylde ham med løgn. Jeg ville ikke lade hans rene univers briste, og jeg blev ramt af akut klarsyn.

Hans ord vækkede mig. Jeg cyklede direkte ind på arbejdet og sagde op, hentede Benjamin, tog til Hornbæk, legede, hoppede i klitter, spiste is på havnen, mødte lykken, kørte hjem, puttede ham og gik i tænkeboks.

Jeg tænkte, at noget, der føltes så rigtigt, ikke kunne være forkert, og jeg besluttede, at jeg aldrig mere ville arbejde kun for pengenes skyld. Jeg valgte lykke frem for sikkerhed og prestige.

Jeg anede ikke, hvordan vi skulle klare os økonomisk. 'Ingen penge' havde jeg masser af, men jeg takker de højere magter for den modige beslutning, jeg traf den dag. Jeg besluttede, at

32

jeg aldrig mere ville arbejde drevet af penge. Jeg ville arbejde drevet af lyst. Jeg ville selvfølgelig gerne tjene penge, men jeg ville ikke arbejde kun for pengenes skyld. Det ultimative mål var at lave noget, jeg brændte så meget for, at mit svar til Benjamin ville blive 'Skat, jeg vil gerne på stranden med dig, men først på lørdag, for i dag vil jeg på arbejde'.

Jeg ville finde en virksomhed, som forstod, hvad jeg kunne, en virksomhed så visionær, at jeg ville føle, at mit arbejde var en leg. Så med et håbløst CV i bagagen – singlemor, to kuldsejlede virksomheder – begyndte jeg at skrive uopfordrede ansøgninger. Til nær og fjern. Min kongstanke var, at jo flere virksomheder jeg kom i dialog med, jo større var sandsynligheden for, at jeg ville lande mit drømmejob.

Så slog genialiteten mig. Det var det samme med mænd. Jo flere mænd jeg var i dialog med, jo større var chancen for at finde en, jeg gad at gå på en date med. Jo flere mænd jeg datede, jo større var chancen for at finde en, jeg virkelig havde lyst til at kysse. Men jeg datede ingen, jeg sad derhjemme med min søn og drømte om at kysse.

Jeg havde et fantasiunivers kørende om, at jeg en dag ville møde en af mine venners venner til en lille hyggelig privat middag. Og så red vi væk i solnedgangen ... Og så tændte jeg for fjernsynet og så slutningen af en ligegyldig film. Igen.

Men en søndag aften, ud af det blå, besluttede jeg mig for at tilføre mine drømme handling. Jeg ville gøre noget. Tage ansvar. Leve livet i virkeligheden i stedet for i hovedet.

Så jeg sendte en mail til alle mine venner med en invitation og bad dem videresende til alle deres singlevenner. Sådan begyndte Running Dinner, en virksomhed, der går ud på at føre singler sammen ved at lade dem møde flest mulige potentielle partnere. Konceptet består i korte træk af at matche par, som spiser middag hos hinanden. Første 'par' står for forretten. Her kommer de andre og spiser forret hos den ene af parterne. Bagefter tager alle parrene videre til næste hjem, hvor de indtager hovedretten og går videre til hjem tre for at spise dessert. Til sidst ender alle Running Dinner-deltagerne til afterparty et sted.

Det var egentligt bare et egotrip, hvor jeg involverede gud og hver mand i mit eget forsøg på at finde landets lækreste mand. Tilfældet ville, at alle de 250 gæster også syntes, at det var sjovt og genialt.

Running Dinner er vildt kaotisk at arrangere. Jeg sad derhjemme med fedtede, gule post it-sedler og nul penge på kontoen. 250 mennesker som i par 'to og to' skal spise tre måltider hjemme hos hinanden på kryds og tværs. Forret et sted, videre til hovedret et nyt sted, dessert et tredje. Hele tiden møde nye mennesker og servere mad for hinanden. Det var rent kaos.

Jeg glemte alt om de ansøgninger og besluttede mig for at se, om jeg kunne gøre Running Dinner til min levevej.

Jeg havde ikke lavet markedsundersøgelser eller noget, men jeg havde en trang til at prøve det af, og jeg syntes, at det var sjovt, så jeg havde ikke noget imod at sidde og fedte med hjemmesiden, planlægge og sætte folk sammen osv., osv. Det var sjovt. Det var meningsfyldt. Det var min mulighed for at blive selvstændig for tredje gang og måske få den frihed, jeg så brændende ønskede mig.

Da min første fest var forbi, sad jeg med en kasse, hvor alle de hundredekronesedler folk havde betalt, lå i. Der var så sindssygt mange penge i kontanter, uvirkeligt mange penge for mig, som skyldte alle steder og ikke engang havde haft råd til at betale husleje. Eller andre regninger for den sags skyld. Politiet havde endda klippet nummerpladerne af min bil. Min telefon var lukket.

Det havde været nervepirrende hårdt at holde fast i min beslutning om ikke at arbejde for penge alene, men nu sad jeg midt i belønningen for mit mod, min handlekraft, min ihærdighed. Og græd af lettelse.

Næste dag cyklede jeg rundt og betalte el og gas og forsikringer og overtræk og penge, jeg havde lånt af en veninde. Alt, hvad jeg skyldte nær og fjern. Jeg endte med at have 15.000 kroner tilbage, og for dem købte jeg en Gucci-taske, min belønning til mig for, at jeg turde forfølge min drøm.

En af de mest brugte undskyldninger for ikke at leve sine drømme ud er hensynet til børnene. 'Jeg ville også dit og dat, men så kom børnene ...' Jeg tror ikke på det. Jeg synes, det er et voldsomt ansvar at tørre af på sine børn. At de skal have skylden for, at man lever sit liv kun i hovedet, i drømmene i stedet for i virkeligheden.

Jeg vil kunne se mine børn i øjnene, når de bliver voksne og begynder at udtale deres drømme, og ærligt være i stand til at sige: 'GØR DET! For det gjorde jeg'.

Og hvordan skal jeg få dem til at turde tro på, at de kan leve lige det liv, de drømmer om, hvis jeg slet ikke turde gøre det selv?

Når jeg opfordrer mine børn til at leve deres drømme ud, kan jeg med oprejst pande sige 'Det gjorde jeg'. Jeg kan ikke forestille mig noget værre end at sige: 'Jeg havde også drømme engang, men så kom du i vejen'. Det kan lade sig gøre at jonglere begge dele. Det må jeg tro på, også når jeg ryster i bukserne, fordi jeg får dem passet – igen.

En anden drøm, der har bevæget sig fra drøm til virkelighed, er mine foredrag. Jeg har altid gerne villet fortælle og holde foredrag. Mange foredragsholdere har uddannelser, titler eller er tidligere og nuværende stjerner. Jeg har ingen uddannelse og er ikke ekspert inden for et område, men jeg tænkte, at hvis jeg kan kaste en smule mod af mig og inspirere folk, vil jeg få det dobbelt tilbage igen. Det ville gøre mig glad. Og det gør mig glad.

Jeg tænder virkelig på at formidle det budskab, som er blevet virkeligheden for mig. At vi alle har et valg. At du har et valg. At vi alle kan uendeligt meget mere, end vi tror. At du kan uendeligt meget mere, end du tror. At det, som begrænser os allermest – er os selv.

Stop lige nu. Stop med at sige 'Jeg kan ikke'. Fjern ordet 'ikke'.

Jeg brænder for at fyre op for den livsglød, alle mennesker har, men som for alt for manges vedkommende er på vågeblus. Jeg vil så afsindigt gerne fortælle netop dig, hvorfor de lykkeligste mennesker i verden er dem, som giver mest. Mest af sig selv, mest af deres tid, deres drømme, deres mad, deres krop.

Så jeg ville være foredragsholder.

Jeg begyndte at holde foredrag i det små. For en buket blomster eller et par flasker vin. Eller for ti mennesker, som gad lytte, hvis jeg gav vinen. Jeg bad om feedback. Jeg blev skarpere på, hvad som virkede, og hvad der var sjovt. Jeg prøvede igen.

Jeg har også brugt meget energi på at spørge folk om deres mening, fordi det er vigtigt for mig at få sandheden. Jeg vil gerne give publikum så meget som overhovedet muligt.

Det lyder måske nemt, når man læser det, men det kostede blod, sved og tårer. Ikke særlig meget blod. Jeg kom ikke bare fra A til B på et øjeblik, men arbejdede og arbejder stadig virkelig for sagen. Og i dag er det at holde foredrag en af mine favoritbeskæftigelser.

> Følg din skøre drøm. Og selv om den ikke ender der, hvor du troede og håbede, da du startede med at forfølge den, så har du stadig udlevet din drøm.

KAPITEL 3

DEL MEGET

Jeg tror på, at de lykkeligste mennesker i verden er dem, som deler mest. Giver mest. De lykkeligste mennesker er dem, som tør dele ud af deres tid, deres drømme, deres erfaringer, deres hjem og deres mad. Det sørgeligste billede er billedet af en mand, som sidder ensomt i sin have og holder øje med, at ingen stjæler hans æbler.

Jeg tror ikke på Gud, men jeg tror på karmapolitiet. Karmapolitiet holder alting i balance, og jeg er meget bevidst om, at hvis jeg kaster god karma ud, kommer det tilbage til mig i en eller anden form. Det kan komme fra en helt anden kant. Men det kommer retur. Jeg kan give i øst og få tilbage i vest, men det skal nok komme tilbage til mig.

Jeg tror nemlig på, at hvis man viser storsind, får man storsind. Det opdagede jeg allerede, da jeg var meget ung:

Jeg var bartender i Nyhavn og stod en regnvejrsdag og kiggede ud på de tomme kanalrundfartsbåde. Jeg kedede mig, da en lidt forhutlet fyr kom over og spurgte, om jeg kendte et godt vandrehjem. Han var rumæner, der var flygtet til

39

Ungarn og nu boede der. Sammen med en flok venner var han kommet til København for at lave gadeteater, og de havde ikke ret mange penge, så de ledte efter et billigt vandrehjem.

Jeg kendte ikke nogen vandrehjem, men stak ham mine nøgler og sagde: 'Jeg har en lejlighed på Østerbro. Jeg har godt nok ikke senge, men vi kan låne tæpper og madrasser af min nabo. Gå over og få lavet kopier af min nøgle, og kom tilbage med en nøgle til mig, så får du adressen'.

Da jeg kom hjem efter midnat, sad der seks rumænere i min lejlighed. De var der i tre dage, før jeg endelig havde jeg en fridag. Det var pinse og godt vejr, og jeg viste dem byen. Det var en fantastisk dag, det var pinse, solen skinnede, og der var karneval. På et tidspunkt kom vi forbi et loppemarked, hvor jeg stod og kiggede på en messingmorter, som jeg virkelig godt kunne tænke mig. Den kostede 400 kroner, og det havde jeg slet ikke råd til, så vi gik videre uden.

Da de rejste videre, holdt vi ikke kontakt, det var 'livet-før-Facebook'. Flere år senere ringede det en dag på min dør. Det var en af mine rumænske venner, som stod med en stor tung morter i hånden. Den var til mig. De havde fundet den til mig på et marked i Ungarn. De kunne ikke huske adressen, så de kunne ikke sende den, men en af dem vidste, at han kunne finde hen til mig, så de have splejset om en togbillet til ham. Det er et af de fineste minder fra mit liv. Jeg får altid gåsehud, når jeg tænker på det. De var så taknemmelige, det var jeg også, og det er jeg stadig.

Når man udviser storsind, møder man storsind. En meget enkel, men meget vigtig leveregel. Det er det første, vi glemmer, når vi stresser og ryger i hamsterhjulet. Jeg tror på, at det er den nemmeste smutvej tilbage til glæde og indre ro. Husk det: Hvis du skriger på omsorg, skal du øse af din egen omsorg.

Da jeg var 15 år, var jeg på interrail med en veninde. Vi blev af flere omgange inviteret ind hos andre mennesker, som brød brødet med os. Udtrykket »at bryde brødet« stammer godt nok fra Biblen, men jeg tror ikke på Gud. Jeg tror på mig. Jeg tror på dig. Jeg tror på, at vi skal dele, jeg bryder til enhver tid brødet.

På vores interrailtur sad vi en aften i et tog og spekulerede på, hvor vi skulle overnatte. Vi ville ankomme sent til en banegård, og vi vidste ikke, hvor vi skulle sove om natten, men en mand, vi mødte i toget, tilbød os, at vi kunne sove på gulvet i hans stue. Vi blev hurtigt enige om, at han ikke var særlig stor, og han så meget tilforladelig ud, så det gjorde vi. Og det var superhyggeligt.

Så når jeg står i en situation, hvor jeg kan dele mit hjem med folk, tænker jeg: 'Det kan jeg give tilbage til ham'. Og jeg tror, at hvis skuespillerne fra Ungarn på et tidspunkt er stået i en situation, hvor nogen bad om hjælp, ville de gøre det, fordi de selv har oplevet storsind/venlighed.

Siden har jeg inviteret mange mennesker, jeg ikke kender – for eksempel hvis det kiksede med planlægningen til Running Dinner, inviterede jeg hele banden til at komme hjem til mig at spise.

Hvis jeg har noget, som kan glæde andre mere, end det glæder mig, forærer jeg dem det. For eksempel var en veninde vild med mit tæppe i stuen, og jeg tænkte, at hun var gladere for tæppet end jeg, derfor gav jeg det til hende. Det var på en måde mere hendes end mit, alene fordi jeg ikke var lige så glad for det, som hun blev.

Der er rigtig mange, som ikke kan lide at tage imod ting, men den kringler jeg ved at sige: 'Du må ikke tage min glæde fra mig ved at give dig det her'. Folk er opdraget til, at man ikke 'bare skal tage imod'. Men man skal huske, at man giver folk en stor glæde, når de får lov at give. Glæden ved at give. Ved at føle, at man har gjort noget godt.

At dele betyder ikke nødvendigvis at forære ting væk. Det kan også være oplevelser. Har jeg spist et godt sted, set en god film eller rejst i et fantastisk land, fortæller jeg det videre og anbefaler det til alle, jeg kender.

Hvis jeg har læst en god bog, er det let at give den videre til en anden, som igen kan læse den og give den videre, så vi pludselig er mange, der deler. Det kan også være til stor glæde for andre at dele en fortælling, et minde, en oplevelse, en drøm. Del det hele. Især det, som er svært at dele, kommer tifold igen.

Det er en misforståelse, at man kun må dele sine ting med andre eller gøre den gode gerning for modpartens skyld. Det kører man hurtigt sur i. Hvis det er en win win situation, er batterierne hele tiden ladet op. Så gør det for din egen skyld, derefter for modpartens. Så står modparten heller ikke i usynlig gæld. Man skal aldrig dele for at få igen.

I mange år delte jeg også, mens jeg førte regnskab med det. Og jeg blev ked af det og frustreret, når jeg ikke fik igen. Nu deler jeg ud i en retning og tror på, at karmapolitiet sender det retur et eller andet sted fra. Jeg giver af lyst, uden bogføring.

Her er en håndfuld gode gerninger, som ikke krævede verdens største indsats, men som spredte meget glæde – og gjorde mig mindst lige så glad som modtagerne. Nej, det passer ikke. Jeg tror, at jeg blev endnu gladere end modtagerne.

Jeg tror, at de fleste rigtig gerne vil hjælpe og dele, men tit bremser de sig selv, fordi de ikke vil være påtrængende. Eller være 'for meget'. Her vil jeg sige, som jeg engang skrev til en kvinde, der spurgte, om jeg ikke var lidt for meget: 'Er du ikke lidt for lidt?'

♦ På vej hjem fra IKEA så jeg en flok mennesker stuvet sammen i busstoppestedet, hvor de søgte læ for en pludselig regnskylle. Jeg smed bilen ind på stoppestedet og rullede vinduet ned: 'Hej, jeg har to ledige pladser, hvis der er nogen, som vil med til Nørrebro'.
♦ På Maldiverne blev jeg undervist af en dansk dykkerinstruktør. Hun havde været væk hjemmefra i meget lang tid, langt væk hjemmefra. Jeg havde to nødrationer lakridser med og to bøger i kufferten. Jeg forærede hende begge dele.
♦ I et fly fik jeg min yndlingsplads forrest i flyet ved vinduet, men ak, mit øje spottede, at et forelsket par var blevet splittet op. Han skulle sidde ved siden af mig, hun skulle

43

sidde midt i bagerst. Jeg byttede plads med hende og tog møgpladsen. Jeg gjorde det med et smil, for jeg var alene, de var forelskede.

♦ En god bekendt flyttede i en ny, større lejlighed. Hun skrev på sin Facebook-væg, at hun drømte om at få en Acapulco-stol til sin stue. Jeg havde tre, nu har jeg to. Jeg havde fået mine foræret og kunne mærke, at den gule ville få et bedre liv hos hende.

♦ En lørdag, hvor regnen væltede ned, gik alt i kludder i den ejendom, hvor jeg bor. Ingen el, ingen vand, kun kaos. Formanden for vores beboerforening arbejder året rundt ulønnet med at holde ejendommen på skinnerne. Han fik rigeligt at se til, da syndfloden kom. Elektrikere, brandmænd, strøm i vandet og selvfølgelig midt om natten. Så da jeg gik til bageren og købte nødforsyninger til egen husholdning, købte jeg også lige en pose godter til formanden og hængte dem på hans dør.

♦ Da jeg var ude at løbe forleden, mødte jeg et ældre par, som gik hånd i hånd mod mig. Manden løftede kvindens hånd og kyssede den nænsomt. Det rørte mig dybt. Jeg løb over til dem og fortalte dem det. Takkede for den lille oplevelse. De smilede, og jeg smilede. Det er livet på en god dag.

Jeg holdt engang et foredrag, hvor jeg fortalte om karmapolitiet. En af tilskuerne spurgte, om jeg ikke var bange for, at folk misbrugte min blonde godhed. Mit svar var, at det må de gøre med glæde, for jeg føler mig ikke snydt, jeg giver af lyst. For at glæde mig.

Hvis nogen rager til sig og griner bag min ryg, siger det mere om dem end om mig! Jeg deler med et smil. Men der er situationer og mennesker, hvor jeg hverken deler eller smiler. Det er dem, som ikke helt forstår karmapolitiets uskrevne love: Det, du giver, får du retur.

'Rigtigt brugt er livet langt nok'. Det betyder, at den tid jeg har stillet til rådighed, skal udnyttes optimalt. Jeg tror på, at det er de små ting i hverdagen, som påvirker livets lykkefølelse. Derfor forsøger jeg at være så bevidst som muligt om at gøre lidt mere. Det lille ekstra. Af egoistiske årsager. Her er et eksempel på, hvad jeg mener:

Jeg havde en dansklærer fra 3. til 7. klasse, som jeg holdt meget af. En af den slags lærere, som gjorde lidt ekstra. Han var det første menneske uden for min familie, som virkelig 'så' mig og forstod mig. Jeg glædede mig altid til hans timer. Når jeg følte, at jeg blev holdt udenfor af de andre piger, sagde han altid: 'Du har fat i den lange ende med god opførsel, du skal ikke synke til deres niveau'. Jeg kunne virkelig godt lide ham. Han hed Henning Jørgensen, og jeg har aldrig glemt ham. Når der indimellem dukker minder op fra min folkeskoletid, sender jeg ofte Henning en kærlig tanke.

Min storebror bor på et lille landsted uden for Gørløse, den by, hvor Henning også boede dengang i 1985. Vi har ingen kontakt haft siden dengang, hvor jeg flyttede by og skole.

Men en dag var jeg hjemme hos min storebror at presse æbler. Min storebror kører på samme privilegerede opdragelse som mig. Han er også en meget ihærdig type. Han har et ekstra gear. Blandt andet har han bygget en kæmpe æblepresse, og hvert efterår plukker vi alle de æbler, vi kan komme i nærheden af, og presser dem til æblemost. Det smager himmelsk. Vi presser mere end 150 liter, som vi så fryser ned, så vi har lækker hjemmelavet æblemost helt frem til næste efterår.

På vej hjem fra min storebror, med begge unger i bilen og bagagerummet fyldt med æblemost, kom jeg i tanke om Henning Jørgensen. Måske boede han stadig i det samme hus? Jeg besluttede mig for at køre villavejene tyndt i Gørløse i håbet om at genkende noget. Og minsandten – jeg fandt huset. Desværre var der ingen hjemme, så jeg stillede tre liter æblemost foran hans hoveddør.

På vej hjem slog det mig, at friskpresset æblejuice i gennemsigtig plastikkarton uden etiket ligner ... noget andet end æblejuice. Og mon ikke også det ville undre ham at komme hjem og finde det stående foran døren? Jeg fandt hans nummer på internettet og ringede op og forklarede.

Jeg startede med at præsentere mig ved navn, jeg var klar med en lidt mere fyldestgørende forklaring, men han huskede mig allerede på navnet, det første, han sagde, var: 'Kan du huske, hvor sjovt vi havde det, dengang vi ventede tre timer på skadestuen, da du brækkede foden?'

Vi talte sammen i et kvarters tid, og jeg nød hvert sekund. Jeg har lovet at køre forbi igen en af dagene, og jeg gør det. Det må være enhver skolelærers drøm at sætte så stort et aftryk i en elevs liv. Det er en stor fornøjelse for mig at lade ham det vide.

Hvor langt skal der være fra tanke til handling? Hvor mange mennesker har du i dit liv, som har gjort en forskel, måske uden at vide det? Hvor tit har du ikke tænkt på at sende et kort, men ikke fået det gjort? Hvordan føles det, når man selv får et opkald fra fortiden?

Gør det. Jeg kan ikke anbefale det nok. Og det skal ikke være et Facebook-hej. Det skal være med øjenkontakt og en lille kærlighedserklæring – eller æblejuice i hånden.

En lille bitte investering med et kæmpe afkast. Og selvfølgelig ved jeg godt, at det siges at være tanken, der tæller. Men det er altså handlingen, som virkelig batter!

Jeg sætter selv uendelig stor pris på overraskende opkald, et brev fra en veninde, tilfældige gæster, en sød kommentar i en elevator. For nylig stod jeg og tankede benzin, da en ældre mand stoppede sin bil, rullede vinduet ned og sagde: 'Du ser dejlig ud! Ha' nu en god dag' og kørte. Tak!

Der skal så lidt til.

> Man skal aldrig dele i håb om
> at få noget igen.

KAPITEL 4

GRIN MEGET

Åh, at grine, så tårerne triller. Åh, at grine, til man rent fysisk får ondt i mavemusklerne. Selv hvis du har let til latter, kan du grine endnu mere. Tænk fis og ballade ind i din hverdag.

Jeg tænker meget over, hvad der gør mig glad. De små genveje til smil og latter. Jeg vil more mig. Le. Pjatte. Drille. Være. Så når min teenager siger 'Hvor er du barnlig', så kunne han næppe give mig et bedre kompliment.

Jeg er klar over, at han på dette følsomme tidspunkt i sit liv overvejer at stene mig, når jeg opfører mig pinligt. Jeg husker tydeligt, da det var min mor, som opførte sig *så* pinligt og *så* latterligt, som jeg gør nu. Jeg fortsætter. For det er sjovt.

I går satte jeg Gnags 'Vi er de vilde kaniner' på og hoppede rundt i stuen, mens jeg lavede ører af mine fingre og skrålede 'Vi er de vilde kaniner med meget lange ører'. Det var skidesjovt.

Og når jeg skal have gæster, er en af mine yndlingsbeskæftigelser at buzze dem ind via dørtelefonen, løbe ud og stille mig i elevatoren og vente på, at gæsterne kalder den ned. Når dørene så åbner sig i stueetagen, så springer jeg ud og råber: BØH! Det er faktisk vildt sjovt. I hvert fald for mig. Jeg har stor morskab ud af det på sjette år. Det bedste er næsten, at de glemmer det fra gang til gang.

Stjæl gerne ideen, hvis du bor et sted med elevator. Det kan garanteret også være festligt på en arbejdsplads.

Vi ved alle sammen godt, at den kassedame, som smiler og putter frugterne i en lille pose for kunden, har en meget bedre dag end den kassedame, som er ved at vrænge læberne af led af væmmelse over sit arbejde. Men husker vi det selv i vores egen hverdag? Jeg gør. Nu.

Og bare fordi det er sjovt, har min mor og jeg udviklet nogle stemmer, som vi bruger, når vi taler i telefon med hinanden. Vi kan kalde min stemme for 'Skinger Inger'. Hvis min mor ringer, så tager jeg telefonen og skriger højt med Skinger Ingers stemme: 'HVEM ER DET???'

Jeg tror kun, at det er min mor og mig, som forstår, hvor sjovt det er. Men det er også nok.

Det gør jeg, fordi jeg er barnlig. Jeg leger. Og heldigvis for det. Hvis jeg holder op med at lege, så håber jeg, at mine venner skubber til mig.

Nu er det ikke kun andre, jeg går og griner af. Eller leger med. Jeg kan sagtens grine af mig selv, for jeg er ikke bange for at være til grin.

Angsten for at fejle er verdens største og dummeste stopklods. Når jeg tør grine af mig selv, tør jeg også fejle, så mit mål er at kunne grine himmelhøjt af mig selv – helst så højt, at det smitter.

Selvironi er en af de mest elskelige egenskaber. Det er så klædeligt. Samtidig er selvironi en af de vigtigste ingredienser til lykke. Omgiv dig med mennesker, som er i stand til at grine højt af sig selv. Grin også af dig selv. Grin højt, og fortæl dine omgivelser, hvorfor du griner, så I kan grine sammen. Selvhøjtidelighed er en pest.

Jeg havde engang en veninde, som snublede på gaden, da vi gik sammen. Min første reaktion var at tjekke, om hun var okay. Det var hun. Ud over et hul i hendes nylonstrømper var der ikke sket noget, alle hendes tænder og knogler sad, som de skulle. Og så begyndte jeg at grine. Det skulle jeg aldrig have gjort. For det var overhovedet ikke sjovt, kunne jeg forstå på hendes reaktion. Æv.

Jeg faldt også engang. Uden at slå mig ret meget. Jeg snublede forover, og styrtet udviklede sig, så jeg løb med forskudt balancepunkt, afsindigt foroverbøjet, i højere og højere fart i et forsøg på at indhente mit eget balancepunkt. Jeg klarede den ikke. Efter at have løbet med næsen lige over fortovet en ti meters tid, faldt jeg.

Min daværende kæreste tjekkede lige, om jeg var okay. Det var jeg. Og så grinede han. Og han grinede og grinede og grinede, så tårerne trillede. Da han endelig kunne få luft til at tale, sagde han: 'Du lignede Dronning Ingrid på et skate-board.' Det var sjovt, og jeg grinede med.

Og her er min yndlings grine-af-mig-selv-historie:

16 år gammel var jeg til en fest langt ude på landet ved Hundested en fredag aften. Det var en Hawaii-fest, og jeg var i bastskørt. Det var december. Det var hjernedødt. Det var sjovt.

Jeg arbejde i en GUF-pladebutik, og jeg skulle op på arbejde lørdag morgen. Jeg vidste ikke, hvordan jeg skulle komme hjem. En ung gut fra festen tilbød mig husly, for han boede tæt på stationen, så jeg kunne sove hos ham, og så ville han følge mig til toget næste morgen. Mine forældre vidste vist ikke helt, hvor jeg var.

Vi gik hånd i hånd hjem til ham. Kyssede lidt. Det var en meget ny og meget usikker situation for mig. Da vi kom hjem til ham klokken to om natten, sad hans forældre rasende i køkkenet. Hans lillebror på 14 år var ikke hjemme, for han var til en fest. Storebroren, som jeg holdt i hånden, havde dækket over lillebroren og var medskyldig i forsvindingsnummeret. Forældrene var meget vrede. De tog ikke meget hensyn til, at jeg stod der, men gav storebroren besked på at skaffe lillebror hjem NU. Jeg blev installeret i et værelse, døren blev lukket, og der blev meget stille.

Problemet var bare, at jeg skulle tisse. Meget. Jeg åbnede forsigtigt døren og var ved at tude. Det rum, jeg kom ind i, var et slags alrum med fem lukkede døre. Jeg ræsonnerede mig

52

10 genveje til et smil

Her er 10 tips til en nemmere hverdag. Det er gode genveje til at få mere overskud i hverdagen. Fælles for dem er, at udgifterne er små og fordelene store:

1 Ring til din allersjoveste ven, og mind hinanden om gamle dage

2 Fyld fint salt i sukkerskålen, og vent

3 Se en film med en skuespiller, du ved får dig til at grine (må jeg fx foreslå *Yes Man* med Jim Carrey)

4 Start en vandkamp i køkkenet

5 Sæt reggae på anlægget, og dans

6 Inviter dine naboer på *Gæt og grimasser*

7 Vink til en, du ikke kender, i trafikken

8 Server pandekager til aftensmad

9 Spørg børnene, hvem der kan flest bandeord, og tæl dem

10 Find selv på noget

frem til, at en af dørene måtte være til et toilet, og en anden af dørene måtte være til forældrenes soveværelse.

Jeg turde ikke løbe risikoen, for jeg var virkelig bange for de forældre. Jeg holdt mig meget længe, men til sidst måtte jeg bare af med det, så jeg tissede i en urtepotte. Det har jeg grinet af mange gange siden. Der gik lang tid, før jeg igen gik hjem med en fyr. God nat, og sov godt ...

Angsten for at fejle er verdens
største og dummeste stopklods.
Når jeg tør grine af mig selv,
tør jeg også fejle.

KAPITEL 5

VIS DIN SÅRBARHED

Sårbarhed, mod og handlekraft er de uadskillelige tre. Sårbarhed må ikke forveksles med svaghed. Sårbarhed er styrken til at turde løbe den risiko, at andre mennesker ser dig, uden at du er i fuldstændig kontrol. Måske endda når du er i frit fald. Svaghed er, når du ikke tør netop det. Mange mennesker vil ikke vise deres sårbarhed af frygt for at virke svage. Men de, der viser deres sårbarhed, er de modige.

Da jeg var yngre, var jeg god til at spille cool. Jeg overpræsterede, bare for at sikre mig, at alle var imponerede. Jeg præsterede af alle de forkerte årsager. Jeg forsøgte kontinuerligt og opslidende at vise, hvor god jeg var. Hvor sjov jeg var. Hvor hurtig jeg var. Alt sammen for at sikre mig omverdenens ubetingede accept.

Det er afsindigt opslidende, og det virker ikke. Jeg kan stadig i sårbare situationer falde lidt tilbage i det gamle mønster. Komme til at overpræstere bare for at sikre mig, at folk er imponerede. Men det, jeg søger, er forståelse, øjenkontakt, ro. Det får jeg ikke ved ikke at vise, hvem jeg er.

Efter at jeg blev opmærksom på mit dårlige mønster, tog det mig årevis at lære at vise min sårbarhed igen. Det tog mig lang tid at forstå, at det skjold af imponerethed, jeg havde bygget rundt om mig, også var det skjold, som afskar mig fra at få den omsorg, jeg så inderligt savnede. Jeg skubbede simpelthen alle omkring mig væk, men troede, at jeg sugede dem ind.

Jeg har endelig sluttet fred med min sårbarhed. Jeg er ikke perfekt. Jeg er ikke i nærheden af at være perfekt. Jeg har intet ønske om at være perfekt. Jeg forventer heller ikke perfektion af nogen andre. Jeg har sluppet kontrollen og vundet mig selv. Du må gerne se alt det, jeg ikke kan. Sandsynligheden for, at du så føler dig mere hel i mit selskab, er stor. Når jeg viser dig mine svagheder, tør du måske vise mig dine. Så kan vi følges.

I en samtale for nylig beskrev en ny ven mig som en megafon, der var i stand til at øse viden ud til omverdenen, men han mindede mig om, at megafonen var tovejs. Den gik også dybt ind i mig, så han tydeligt kunne se mig, min sårbarhed, uden at det virkede skræmmende. Jeg kunne næppe have fået et bedre kompliment.

Jeg havde en samtale for nylig med en anden ven. Som elsker og savner sin ekskone. De ses og har en nær relation. Stærkt presset indrømmede han, at han stadig elsker hende, men ikke har fortalt hende det. Han ville gerne vinde hende tilbage, han ved oven i købet, at hun inderst inde drømmer om netop det.

Så spurgte jeg ham, hvad ville der ske, hvis han troppede op på hendes arbejde hver morgen i en måned med en buket blomster. Og han svarede 'Ikke andet end, at jeg ville være totalt til grin'. Men det er ikke rigtigt. Alle ville elske ham for det.

Alle elsker mennesker, som virkelig kæmper for det, de ønsker. Ingen ville tænke, at han var et kvaj. Kun ham selv, og det er en skam. For jeg tror faktisk, at de to er 'meant to be'.

Jeg håber, at en af dem en dag tør slå et stort hul i det skjold, som lige nu helt misforstået holder dem fra hinanden. At en af dem en dag tør åbne helt op for den sårbarhed, det er at sige: 'Jeg elsker dig. Jeg savner dig. Uanset om du elsker og savner mig retur, så er det sådan, jeg har det. Også i morgen'.

Sårbarhed og mod går nemlig hånd i hånd.

Han vil aldrig fortryde, at han kæmpede for hende og tabte. Men han vil i al evighed fortryde, at han aldrig forsøgte. Jeg hepper med herfra. Og måske kunne han endda vinde hende igen. Break down the wall.

De fleste af os vil gerne være lykkelige. Selvom vi måske ikke helt kan definere hvordan. Vi er til gengæld verdensmestre i at definere, hvordan vi undgår modgang og ulykke. Vi arbejder med et *worst case scenario* til skræk og advarsel mod eventuelle forkerte beslutninger. Vi burde styre mod det gode i stedet for at køre forhindringsløb om alt det dumme.

Vi krymper os og lider under beslutningsprocessen, for tænk hvis vi tager et forkert valg, som i den sidste ende kommer til at koste os bekymringer. Men den eneste måde, vi kan sikre os mod at fejle, er, hvis vi helt lader være med at træffe beslutninger. Og så kommer man slet ikke over startstregen.

Det er svært at vinde uden overhovedet at spille med.

Hvorfor er vi så bange for nedtur og sammenbrud? Jeg tror på, at når vi skærmer os selv mod de nederste trin på trappen, så mister vi samtidig muligheden for at nå op på de øverste trin.

Det kan være en befrielse at bryde sammen. Jeg har en del venner, som har været gennem et sammenbrud, endda et par af de mere alvorlige. Ingen af dem ville gøre det anderledes, hvis de kunne gøre det om.

Der er meget læring i et sammenbrud. Der er en kæmpe frihed i at få forløst sin værste skræk – netop da tør vi være mere ærlige over for os selv. Og ærlighed er fundamentet til at tage kloge beslutninger. Når du forholder dig ærligt og nøgternt til en situation, så ved du godt, hvad du skal gøre. Det er alle de lag og filtre, vi smider ovenpå, som ødelægger sigtbarheden.

Så snup et sammenbrud. Tud dine frustrationer ud, når det er nødvendigt. Tænk over, hvor mange gange i løbet af dit liv du forventer at møde stor modgang og sorg, så bliver du måske ikke helt så chokeret og bange, når det rammer dig.

Forvent, at du vil dø en dag. Det samme vil alle, du elsker. En advokat med speciale i testamenter fortalte mig til et middagsselskab, at alle, som kommer til ham for at få lavet et testamente, indleder med at sige 'Hvis jeg dør'. Det syntes jeg var meget fascinerende.

Lev dit liv efter, at du som udgangspunkt kommer til at dø af det. Lad være med at pakke dig og dine ind i vat og bomuld. Livet gør ondt, det er meningen, men for det meste gør det jo godt.

Da jeg var 27 år gammel, gik min kæreste og faren til min søn Benjamin fra mig. Jeg elskede ham højt, og jeg gik fuldstændig i stykker. Drømmen om en familie brast, jeg stod pludselig alene med et kæmpe ansvar for en toårig dreng. Jeg var i frit fald.

En af mine veninder fik, blandt mange andre ting, sagt følgende sætning: 'Det var da godt, at det var dig, det skete for'. Det var ment som et kompliment. Jeg syntes, at det var et temmelig besynderligt udsagn, men det, hun mente, var selvfølgelig, at jeg var stærk og nok skulle klare det.

Og selvfølgelig klarede jeg det, jeg havde ikke noget valg. Men jeg har tænkt over den sætning lige siden. Jeg lærte, at andre mennesker ikke nødvendigvis ser mig, som jeg ser mig selv. Selv mine allernærmeste kan ikke nødvendigvis se mig som svag, selvom jeg føler mig helt knækket. Det er mit ansvar, at de ved, hvordan jeg har det – at de ved, hvad jeg har brug for.

Benjamins fars nye kæreste var min totale modsætning. Lille, tynd, veltrænet, mørkt, krøllet hår. Det var hårdt for mig. Efter et par måneder var jeg hjemme i min lejlighed sammen med Benjamin, jeg havde lige været i bad og gik rundt nøgen. Benjamin var vel tre år gammel. Han løb forbi mig og klaskede mig i røven, stoppede brat op, vendte sig om og sagde: 'Mor, din numse er helt blød, fars kærestes numse er hård som sten' ... Jeg tror ikke, barnet forstod, at han var i livsfare i et par sekunder.

Da jeg var ung, betød det utrolig meget for mig, at omverdenen syntes, jeg var cool. Så hvis jeg syntes, at noget var svært, bad jeg aldrig om hjælp. I stedet brugte jeg unødigt meget energi på at løbe rundt og fikse ting, som kunne have været klaret meget nemmere, hvis jeg havde bedt om hjælp.

I dag vil jeg hellere være klog end cool, så jeg beder om hjælp. Det er stadig noget af det sværeste for mig, men jeg har opdaget, at andre mennesker elsker at hjælpe.

Jeg tror på, at andre mennesker altid vil hjælpe mig, indtil det modsatte er bevist. Hjælpsomhed og omsorg er vores grundkode, indtil det bliver forplumret af dårlige oplevelser, hårde erfaringer.

Jeg bliver stolt, når nogen beder om min hjælp. Det er en anerkendelse af, at jeg kan noget, de ikke selv kan, og de har brug for min hjælp. Eller at de har valgt at vende en ting med mig, som de ikke kan overskue alene. Tøsedrengene sang engang 'Jeg vil bruge og bruges' ... Det vil jeg også.

Når jeg er brudt ud af den komfortzone og har råbt HJÆLP til mine venner, er hjælpen væltet ind. Til gensidig glæde. De hjælper mig med hjertet, hjernen, eller hvis der skal bores et hul i væggen.

> Lev dit liv efter, at du som udgangspunkt kommer til at dø af det. Lad være med at pakke dig og dine ind i vat og bomuld. Livet gør ondt, det er meningen, men for det meste gør det jo godt.

KAPITEL 6

MÆRK EFTER

Når vi bliver spurgt til nogle af de største ting i livet – spørgsmål, som vi ikke tør forholde os til alene af den årsag, at hvis vi forholder os ærligt til det, så vil det kræve opmærksomhed, energi og en indsats at ændre det, som gør ondt – svarer vi 'Det ved jeg ikke'. Men vi ved det. Vi har svaret inde i os selv.

Mærk efter. Forstå, hvorfor du gør, som du gør. Så du kan forstå, hvorfor du handler sådan, når du ikke gør det, du drømmer om.

Jeg er optimist. Jeg ved, at det ender godt. Det hele! Det ender godt. Altid. Selvfølgelig gør det det. Husk sætningen 'This, too, shall pass'.

Sandheden bag min ukuelige optimisme er, at jeg gør mig afsindigt mange overvejelser, jeg mærker efter i maven, inden jeg skal tage en beslutning. Ofte er hjernen ikke meget bevendt, når der skal mærkes efter. Hjertet viser vejen, når vi tør lytte.

Jeg er utrolig bevidst om de valg, jeg træffer i mit liv. Hver dag. Hele tiden. Vi træffer i tusindvis af valg hver dag. Mere eller mindre bevidst. Jeg vil være bevidst om de fleste i mit liv. Jeg nægter at køre rundt i en karrusel, som jeg har glemt, at jeg faktisk kan stå af.

Da min mor holdt tale til min 30-års fødselsdag, sagde hun blandt andet: 'Når folk griner, griner Michelle mere. Når folk græder, græder Michelle mere.' Det er sandt. Det har ikke altid været et bevidst valg. Det er det nu. Min største frygt er nemlig, at udsvingene på min livskurve bliver flade.

Prisen er, at jeg har slået mig mere end de fleste. Til gengæld spekulerer jeg aldrig over, hvad der ville være sket, hvis jeg havde turdet. For jeg gjorde det jo. Jeg gjorde det hele.

Jeg har venner, der har været igennem en nedsmeltning på et tidspunkt i deres liv. De fik så mange signaler, om at det var på vej, at de måtte iføre sige høreværn og bind for øjnene for at blive ved med at sidde signalerne overhørig. Men de ignorerede signalerne, og livet ramte dem hårdt. (Heldigvis har de det fint nu.) De overhørte signaler interesserer mig.

Fik jeg nogen signaler, da jeg var på vej ind i mit store nedbrud i forbindelse med min skilsmisse fra min datters far? Ja, jeg fik meget tydelige signaler. Jeg blev den værste udgave af mig selv. Værre end jeg troede muligt. Jeg opførte mig frygteligt. Jeg tyrede en telefon efter min eksmand, jeg græd ikke over det hul, telefonen lavede i døren til badeværelset (det hul lever stadig – altså i døren), næ, jeg tudede, fordi jeg ikke ramte ham.

På et tidspunkt kunne jeg slet ikke kende mig selv. Hverken i spejlet eller i hjertet. Jeg kunne til gengæld kaste op på kommando, jeg havde bare svært ved at finde anvendelse for det. Slutteligt kastede jeg en lakseanretning i hovedet på ham på en restaurant. Meget Hollywood-agtigt. Og blev skilt. To år for sent, fordi jeg ikke lyttede til mig selv.

Jeg gik til psykolog og fortalte, at jeg var blevet sindssyg. Jeg var så flov over at være et menneske, som kastede ting efter andre mennesker. Psykologen mente nu, at hvis han var den eneste, som kunne få den reaktion frem i mig, så gik han nok langt over mine grænser. Det tænkte jeg lidt over. Og da jeg var ved at lære, at man ikke kan fjernstyre andre, styrede jeg mig selv væk. To år for sent.

Det er det sværeste, jeg har præsteret til dato. Det var anden gang, jeg endte alene med et lille barn. Det var ikke til at bære, men da jeg endelig mærkede efter og valgte at gå fra ham, valgte jeg samtidig lykken. Det er, når vi ikke tør vælge mellem pest og kolera, at vi som regel ender op med pest *og* kolera.

I øvrigt har de fleste af de bedste mennesker i mit liv været igennem en eller anden form for nedsmeltning, det har nemlig alle, som lever, tør og gør. De slår sig undervejs. Pyt. Netop derfor er de mine venner. Jeg elsker dem også for det. Jeg tror på livet, jeg har budgetteret med et stort antal tårer. De skræmmer mig ikke. Men jeg behøver ikke komme helt derud igen – der, hvor jeg kan kaste op på kommando. Så derfor lytter jeg efter signalerne, jeg er meget opmærksom på dem, og handler længe før, det bliver alvorligt.

Hvis jeg har et par søvnløse nætter. Hvis jeg har kort lunte over for ungerne. Hvis jeg ikke har den energi, jeg plejer, så ved jeg, at jeg skal stoppe op og mærke efter. Det er kroppens signaler til mig.

Jeg har en fin øvelse, som kan hjælpe mig med at lokalisere, hvor skoen trykker. Og jeg vil anbefale den til alle, der mærker en ubalance i livet.

Cirkeløvelsen

Lav en kop te eller kaffe.

Læs hele denne beskrivelse, inden du starter på øvelsen. Ligesom når du skal i gang med en ny opskrift.

Sæt dig ned med et stykke papir og god, uforstyrret tid.

Tegn tre cirkler inde i hinanden på papiret. Først den inderste cirkel; så den midterste cirkel uden om den første; og til sidst den yderste cirkel.

Nu skal du skrive navnene på alle de personer, som falder dig ind. Efter dette system:

A: Den inderste cirkel. Skriv navnene på alle dem, du er i så tæt dialog med, at du ved (i hvert fald nogenlunde), hvor de befinder sig lige nu. For eksempel: Min søn er i skole, min mor derhjemme i haven, min veninde på ferie.

B: Den midterste del af cirklerne. Skriv navnene på alle dem, du omgås regelmæssigt, både i din fritid og i forbindelse med dit arbejde.

C: Den yderste del af cirklerne. Skriv navnene på alle dem, som du har i dit hjerte, men du ikke får set nok, eller som du bevidst undgår. Mennesker i dit liv, som du møder med uregelmæssige mellemrum.

Det gælder ikke om at kunne skrive flest mulige navne. Du skal bare skrive navnene på dem, der falder dig ind. Det er ikke væsentligt, om det tager dig to minutter eller en time. Når der ikke dukker flere navne op, er du færdig.

Sæt nu cirkler i en anden farve om alle de navne, hvor du føler, at du kan være helt dig selv i selskab med den person. Alle dem, i hvis selskab du slapper af.

Bagefter bruger du tid på at se på alle dem, som du ikke satte en cirkel om. Hvorfor satte du ikke en cirkel? Er det din chef, er det måske meget normalt at have en arbejdsmæssig facade. Er den grund god for dig, er det fint.

Men måske vil du opdage, at der i din hverdag er mennesker omkring dig, i hvis selskab du faktisk ikke føler dig tilpas.

Første gang jeg lavede denne øvelse, opdagede jeg, at jeg ikke kunne sætte ring om min farfar. Det irriterede mig, da jeg holdt afsindigt meget af min farfar, som var en fin og nobel ældre mand. Jeg havde meget respekt for ham på en sund måde. Pludselig forstod jeg, hvorfor han ikke fik en farvet cirkel: Jeg bander meget, men jeg ville *aldrig* bande i min farfars selskab. Derfor lagde jeg bånd på mig selv, var utroligt selvbevidst, når jeg var i hans selskab. Det var ikke et problem, fordi jeg gjorde det af respekt for ham. Jeg ville gerne gøre det for ham, så da jeg opdagede grunden til den manglende cirkel, fik han straks en.

Den øvelse bruger jeg stadig, når jeg mærker en ubalance i mig. Det har sat tanker i gang, som har været spiren til at afslutte venskaber, som trængte til at blive afsluttet. Der har især været åbenbaringer a la: 'Jeg trænger til at få talt med ham eller hende'.

Ofte er hjernen ikke meget bevendt, når der skal mærkes efter. Hjertet viser vejen, når vi tør lytte.

KAPITEL 7

HUSK AT NYDE

Husk at nyde stort som småt. En fugl på altanen. En flirt i forbifarten. En saftig gulerod. Husk at værdsætte alt det nære. Hver gang der er noget, som frustrerer, så er der endnu mere, som glæder. Ja, jeg holder i kø fredag eftermiddag på motorvejen, men hvor er jeg heldig, at jeg har en bil.

Jeg har tidligere ikke været god til at tage tid til virkelig at nyde nuet. Jeg har alle dage været en effektivitetsmaskine, som fiksede ting hurtigere end en tornado.

Første gang jeg blev gjort opmærksom på, at effektivitetsmaskinen ikke altid var at foretrække, var, da jeg var 20 år og arbejdede som pædagogmedhjælper i en vuggestue.

I en medarbejdersamtale gjorde lederen mig opmærksom på, at det var imponerende, at jeg kunne nå at skifte 10 børn, hver gang de to pædagoger skiftede et hver. Der var 12 børn på stuen.

Det var jeg da glad for, at hun havde bemærket, for det var jeg stolt af. Men så bad hun mig lade være. Hun bad mig om at gå i slowmotion, kigge barnet i øjnene, sludre, synge, nusse fødderne og nyde skiftningen. Jeg hørte, hvad hun sagde, men undrede mig. Jeg prøvede det af og forstod. Jeg var jo ikke ansat på en fabrik, men et sted, hvor mit arbejde var at passe på småbitte, levende mennesker.

Det er godt at kunne være en effektivitetsmaskine, men det er også rart at huske på, at det ikke er alting, som behøver at blive overstået i løbet af få sekunder.

I mange år var supermarkeder en pest for mig. Jeg var træt allerede på vej derind. På autopilot i fuldt firspring løb jeg rundt og købte alt det samme som sidste gang, sukkede ved kassen og bekymrede mig over, om der ville være kø på vej hjem. Sådan er det stadig nogle gange, men jeg bestræber mig faktisk på at have god tid til at handle. Forsøge at købe noget, jeg ikke helt ved, hvad er. Huske på, at det, vi spiser, er noget af det vigtigste i vores liv – ikke bare noget, der skal overstås.

Vi har så mange tilbagevendende gøremål i livet. Transport, arbejde, kolleger, indkøb, madlavning etc. Sisyfos-opgaver, som dukker op på ny, hver eneste gang vi har onduleret dem. Guderne skal vide, at jeg kan sortere vasketøj i søvne, jeg nægter på sjette år at støvsuge, men de opgaver, som hænger på mig, dem bestræber jeg mig på at finde glæden ved. I stedet for at være i 'overståelsesmode' forsøger jeg at være i 'oplevelsesmode', for der er jeg i stand til at nyde.

Det krævede sin mand at få mig til at slappe helt af og bare nyde ham og tage imod. Jeg var alt for forhippet på at give, for i den situation har jeg jo kontrollen. Når jeg giver mig hen og bare skal tage imod, har jeg ikke styringen med, hvad der foregår. Og måske er det dét, nydelse handler om? At turde miste kontrollen. Turde tro på, at man bliver grebet.

For mig drejer nydelse sig især om evnen til at være totalt til stede. Nyde den mad, man putter i munden lige nu, uden hensyntagen til om det feder, hvordan det er lavet, om det er økologisk, om den efterfølgende opvask, om pletten på barnets trøje kan vaskes af.

Mange af os har en anstrengende motorvej af tanker i hovedet, som alle sammen flytter fokus fra 'nydelse lige nu' til noget, som kommer til at ske om lidt. Og når vi så står og tager opvasken, så skal den bare overstås, inden ungerne skal have børstet tænder. Frem, frem, frem. Og så fuldt stop. Stop op, og nyd.

De mennesker, jeg elsker at omgive mig med, er faktisk mennesker, som kan finde ud af at være til stede. Mennesker, som ser mig i øjnene, når vi taler, som stopper op uden at være afsindigt forvirret – som jeg selv.

Jeg elsker de dage, hvor jeg formår at være til stede i nuet, langt mere end de dage, hvor jeg egentlig først forstår, hvad der skete, ved tredje rewind oppe i hovedet. Det falder mig ikke naturligt, det er noget, jeg skal fokusere på. Det gør jeg så.

Her er en ny ide, som du kan stjæle: phonestacking. Du mødes med dine venner/veninder på en cafe. I stabler jeres telefoner midt på bordet. Den første, som griber ud efter sin telefon, hænger på regningen. Vær der, hvor du er. Tag tid til at nyde de små ting, smilet, øjenkontakten, succesen, løbeturen, kollegerne, frokosten, ordene, musikken ...

Min bedste oplevelse med nydelse

De små stunder, hvor jeg virkelig har øjenkontakt med mine børn. Der, hvor vi sammen lige får et glimt af lykke hen over aftensmaden, selvom lejligheden ligner en mislykket ransagning, og jeg ikke ved, om der er mælk til i morgen tidlig.

Der, hvor jeg til trods for 200 e-mails og arbejdsoverload stopper op og nyder en stille stund af lykke midt i hverdagen. Flere af dem, tak!

Dan Turèll var klog, da han skrev 'Jeg holder af hverdagen'. Der er flest af dem. Lad os nyde dem i stedet for at svømme væk i forventningen til den ferie, vi får i glimt et par gange om året.

Min værste oplevelse med nydelse

Forrige år var jeg til Leonard Cohen-koncert. Jeg er kæmpefan og har lyttet til Leonard Cohen, siden jeg var otte år.

Til koncerten var lyden ikke specielt høj, og jeg blev afsindigt frustreret over de andre koncertgængere, som dansede og larmede. Jeg blev så frustreret, at jeg til sidst slet ikke ville være der mere, så jeg forlod koncerten før tid.

Det havde været federe, hvis jeg havde accepteret forholdene, lænet mig tilbage, nydt stemningen og musikken, selvom den ikke var lige det, jeg havde drømt om. Jeg ødelagde oplevelsen og ikke mindst nydelsen for mig selv.

Da jeg sagde mit faste job op og kørte på stranden med min søn i stedet, skiftede jeg livsstrategi.

Min strategi blev ikke at være en hjemmegående speltmor med død karriere og uudlevede ambitioner. Min strategi blev at lave noget, som jeg elskede så højt, at jeg kunne sige til Benjamin – og senere Kamille – med 100 procents ærlighed: 'Jeg vil gerne på stranden med dig en anden dag, for i dag har jeg mest lyst til at arbejde'.

Mine børn bliver passet om dagen og nogle gange om aftenen. Enkelte gange endda fordi jeg trænger til noget så løssluppent som at danse og drikke mig fuld. Eller til at flirte. Og så er det vel nok godt, at de har en mormor og en morfar.

Min relation til mine børn er bedst, når jeg er i balance med mig selv. Da jeg har dem 11 ud af 14 dage, må jeg indimellem vælge dem bevidst fra for at vælge mig selv til. Og tro på, at det gavner os alle mest. Og andre gange holder vi fri på en onsdag med nattøj og huler og 300 tegninger og sylte-tøjsmadder og pandekager.

Nogle aftener er jeg så træt, at jeg kun læser hver anden side i den bog, som min datter insisterende slæber med ind i sengen klokken kvart over kvalme. Hvis hun ikke opdager det, er det vel ikke jordens undergang. Hun må se at få lært at læse selv, hvis hun er utilfreds. Andre aftener fortæller jeg 18 historier, jeg selv finder på – tilsat stemmer og store armbevægelser.

Jeg har besluttet mig for *aldrig* at have dårlig samvittighed over for mine børn. Og ja, det kan man godt beslutte. Hvis jeg tager en beslutning om mine børns hverdag, min tid sammen med dem, mine prioriteringer omkring dem, så står jeg ved den beslutning. Det gavner ikke dem, at jeg har dårlig samvittighed.

Jeg husker, at jeg altid har et valg, så når det valg er truffet, tror jeg på, at det er det bedste. Ellers kunne jeg gå og slå mig selv i hovedet fra nu af til evigheden.

Der er altid nogle, som har mere tid til deres børn end jeg. Der er nogle, som aldrig råber ad deres børn. Siger de. Der er nogle, som kan forklare alting supertålmodigt og pædagogisk. Ja, jeg kender endda forældre, som aldrig nogensinde giver deres børn slik. Jeg har brugt slik benhårdt i forhandlinger på pressede dage.

Den dårlige samvittighed og skyldfølelse er en meget større lykkerøver end selve det, som forårsager den dårlige samvittighed. Jeg giver mig selv lov til at nyde uden en indre stemme, der hvisker om, at jeg burde lave alt muligt andet end det, jeg gør i nuet.

Hvis jeg vælger at få en babysitter til min datter, Kamille, en fredag aften, fordi jeg vil ud at spise med mine veninder, har jeg to muligheder:

78

1. Jeg kan tage af sted og stå ved min beslutning, nyde min aften, være tydelig og ærlig over for Kamille omkring mit valg.

2. Jeg kan have dårlig samvittighed, lade det nage mig, lade det stjæle god energi fra min aften, føle skyld og dermed give Kamille en trumf på hånden for at skubbe til min skyld.

Uanset hvilken løsning jeg vælger, vil Kamille savne mig den aften. Men hvis jeg åbner for skyldfølelsen, giver jeg Kamille de bedste kort på hånden for at manipulere med mig. Jeg mister min tydelighed over for hende, fordi jeg selv vakler. Det gavner bestemt ikke mig, men det gavner heller ikke min datter.

Jeg kunne lade masser af valg være præget af det svigt og kludder, som det er, at jeg har to børn med to forskellige mænd. Jeg kunne stresse mig selv med, at alt det rod har kostet mine børn sorg og stress, eller jeg kan vide helt inde i mit hjerte, at jeg gjorde det bedste, jeg formåede i enhver given situation. Og at det er godt nok.

Jeg vil altid ønske at udvikle mig, men jeg har ikke brug for at slå mig selv i hovedet med, hvad jeg gjorde tidligere, eller hvad jeg vælger at gøre i dag.

Jeg rejser meget. Både med mine børn og uden. Jeg har to uger om året, hvor jeg ikke er mor. Altså 1/27 af året. Sikke en luksus! Sidst, var jeg i Indien uden dem, og det var fantastisk. Jeg skulle kun smøre mig selv ind i solcreme. Jeg skulle kun holde øje med, at jeg ikke selv druknede, og jeg slæbte ikke rundt på bamser og alt muligt andet lort. Tilmed kom jeg hjem med opladede batterier, veludhvilet, fyldt med indtryk og kisteglad.

Jeg vover den påstand, at mine børn fik en overskudsmor hjem. Alt i alt virkede de harmoniske, da jeg kom hjem – på trods af mit ekstreme egotrip.

I ugen efter min hjemkomst fik jeg, til min store overraskelse, hele tre kommentarer fra andre selvstændige, såkaldte stærke karrierekvinder. Det var noget a la 'Du er måske lige i landet for at besøge dine børn, hø hø'.

Heldigvis er jeg teflonbelagt, så deres ævl preller af. Jeg er sikker på, at jeg er en god mor – både når jeg bager speltboller, og når jeg serverer boller i karry fra en tube købt i Irma. Ungerne elsker begge dele. Det gør jeg faktisk også. Det ene er megabøvlet og laver opvask og tager timer. Det andet er skidesmart og tager fire minutter i mikroovnen. Hver ting til sin tid.

Mine unger ved, jeg elsker dem. KNUSELSKER DEM. Er der for dem. Passer på dem. Men heldigvis ved de også, at jeg har travlt med andre ting. Arbejde, velgørenhed, træning, ego, venner etc. Jeg går faktisk rundt og bilder mig selv ind, at jeg er et godt forbillede. Skip den dårlige samvittighed.

Den dårlige samvittighed er placeret inde i det menneske, som føler den. Andre mennesker kan så bevidst eller ubevidst prikke eller losse til den. Men det lader sig kun gøre at aktivere den, hvis den allerede er der. Ellers er der ikke noget at hverken prikke eller losse til.

Engang jeg var i Marrakech, overvejede jeg min påklædning, før jeg gik hen til medinaen. Jeg befandt mig i et muslimsk land, og da man jo skik skal følge eller land fly, tænkte jeg over, om man kunne tillade sig at gå rundt i en dansk sommerkjole, altså med bare skuldre, bare knæ og kavalergang? Jeg valgte at lytte efter hotelmutter, som mente, at jeg sagtens kunne iføre mig min kjole. Jeg havde et tørklæde i tasken klar til at dække mig til i nødstilfælde, men der var varmt, tørklædet blev i tasken.

På Djemaa El Fna-pladsen, et skønt, kaotisk sted med slangetæmmere og andre gadegøglere, fik jeg min hånd malet i det smukkeste blomstermønster med henna. Det skulle sidde og tørre i ca. 40 minutter, så skulle jeg vaske det af, og herefter ville min hånd være smykket med tegningerne i op til fire uger. Da tiden var gået, havde vi netop indfundet os på en ret fin restaurant, og jeg gik ud på toilettet for at få hennaen vasket af.

På badeværelset stod en smuk, midaldrende, tilsløret muslimsk kvinde, som også var restaurantgæst. Hun var også ved at vaske hænder. Hun kiggede på mig, som om jeg var helt forkert. Slog med tungen og sagde 'tsk tsk tsk' med himmelvendte øjne.

Det accelererede min dårlige samvittighed over min mangelfulde påklædning. Jeg følte mig helt forkert og nøgen. DÅRLIG SAMVITTIGHED. Det gentog sig tre gange: Hun kiggede på mig, tsk'ede og lavede himmelvendte øjne. På det tidspunkt ville jeg ønske, at jeg var usynlig. Hvorfor havde jeg dog heller ikke taget noget ordentligt og ærbart tøj på?

Efter tredje runde 'tsk' tog hun resolut og smilende fat i min hånd, førte den ind under det rindende vand og skurede hennaen af med sine negle.

Jeg havde fuldstændig misforstået situationen og fejltolket hendes himmelvendte øjne, alene fordi jeg allerede havde dårlig samvittighed. Hendes intentioner var de bedste. Hun kunne se, at jeg ikke anede, hvordan det henna skulle gnides af. Hendes erfaring, venlighed og håndelag var min redning.

Pointen er, at hvis jeg havde været klædt efter forskrifterne, ville jeg aldrig have været mistroisk over for hendes faktisk venlige og hjælpsomme hensigt. Jeg så hendes kontakt i skæret af min egen dårlige samvittighed. Min fejl. Hun var fantastisk.

Nu er der ingen skade sket i dette uskyldige møde mellem to kvinder af forskellige kulturer, på et badeværelse i Marrakech. Men hun lærte mig en vigtig lektie. Man kan ikke *give* nogen dårlig samvittighed. Det er noget, man selv har indeni.

Min anbefaling er, at næste gang du tænker tanken, at din kæreste, din mor, dine børn eller andre giver dig dårlig samvittighed, så se indad. Spørg i stedet dig selv, hvorfor du tænker og reagerer, som du gør. Måske er din indsats ikke helt, som den burde være. Hvis den var det, ville du bare ryste

De bedste råd, jeg har fået i mit liv

♦ Du bestemmer ikke selv, hvad du bliver spurgt om.
Men du vælger selv, hvor lang tid du har brug for
at tænke, før du svarer
♦ Stå ved det, du har gjort – også når du fejler. Alle
mennesker kvajer sig, kun kujoner prøver at dække
over det
♦ Spørg efter det, du savner
♦ Fortæl, hvordan du har det. Hvis dine venner ikke
kan rumme det, er de ikke dine venner
♦ Alle mennesker rummer alt det gode og alt det
grimme. Også dig og mig
♦ Husk, at du sandsynligvis kun har dette ene liv.
Brug hver dag klogt
♦ Vær venlig, når det er muligt. Det er altid muligt
♦ Rejs. Se verden. Mød verden
♦ Sig: PYT. Pyt er det vigtigste ord i verden.

på hovedet og have dit på det tørre. Så få din sti ren, før du
peger fingre ad folk, som 'giver dig' dårlig samvittighed. Og
husk, du kan ikke fjernstyre de andre.

Hvis du har gabt over mere, end du kan håndtere, får du
dårlig samvittighed. Eller/og stress. Men det lettest er selv-
følgelig at pege fingre ad andre, så behøver man ikke at tage
sit forbandede ansvar.

Her er mennesker, som kan 'give mig' dårlig samvittighed. Alle sammen noget jeg selv – ikke de – bærer ansvaret får:

◆ Min revisor. Det skyldes nok, at jeg ikke er så tjekket med papir og bilag
◆ Tandlægen. Der går år imellem besøgene
◆ Mine unger. Af flere årsager, især når de får pizza, igen
◆ Min træner. Når jeg kan se min egen manglende indsats i spejlet i hendes øjne.

> Dårlig samvittighed er en meget større lykkerøver end selve det, som forårsager den dårlige samvittighed.

KAPITEL 8

VÆR ÆRLIG

Det lyder såre simpelt, men er afsindigt svært. Især at være ærlig over for sig selv. Jeg har taget håbløse omveje i livet, fordi jeg ikke turde være ærlig over for mig selv. Det er som at male oven på en vandskade – balladen bliver ved med at bryde igennem. Man kan lige så godt forholde sig hudløst ærligt til situationen i første runde.

Måske drejer det sig om to ting. Altså livet. To ting, og to ting kun: mine relationer i livet, og sandheden. Jo bedre jeg er til at turde se sandheden, jo bedre kan jeg se og forstå mine relationer. Så skal jeg selvfølgelig have noget mad, og sex er heller ikke så tosset. Men så er vi tilbage ved sandheden og relationer. Hvad har jeg virkelig lyst til. Og med hvem.

Jeg har en eneste gang i mit liv set et andet menneske i øjnene og sagt i hudløs ærlighed: 'Der er intet i eller om mig, du ikke må vide. Du må kende mig helt'. For mig var det den ultimative kærlighedserklæring. Men han ville ikke have mig, og så gør det ondt. Det er jo faren ved sandheden, at du ikke kan vide, hvordan den vil blive modtaget.

Den dag jeg sagde det, var det en kæmpe åbenbaring for mig. Siden er jeg kommet så langt, at jeg har det sådan med alle mine nære relationer. Jeg har intet at skjule for dem. De må se hele mig, også 'det grimme', som vi alle sammen rummer. Det er en kæmpe frihed ikke at skulle agere noget som helst. Jeg er mig. Det er godt nok.

I mit kærlighedsliv har jeg ikke været særlig dygtig til at omgive mig med mænd, som var på samme sandhedsniveau som mig. Det har kostet mange tårer. Det er faktisk en hel ny indsigt for mig at forstå netop det. For den rene er alting rent. Men selvom sandheden ofte er ilde hørt, er jeg ikke længere så bange for at vise alt. Heller ikke det knap så pæne. Jeg tror *endelig* på, at jeg er god nok, som jeg er, og nu hvor jeg er nået dertil, er der intet at skjule.

Jeg har så også lært, at det ikke hjælper at stå der, hvis du deler platform med en, som slet ikke er nået dertil. Om problemet så er lemfældig omgang med sandheden, manglende bevidsthed eller lavt selvværd.

Jeg vil ikke ødsle mere ærlighed væk til mennesker, som ikke modtager og sender på samme kanal som mig selv. Man kan nemt komme til at se det, man gerne vil se. Glansbilledet, som ikke er sandheden, men en forbandet drøm, drysset med glimmer. En iscenesættelse af det liv, man så brændende ønsker sig.

Jeg har helt ubevidst været en ihærdig iscenesætter engang, og mit quick fix plejede at være shopping. Jeg har for eksempel en lille rød elefant stående i min lejlighed. Det er ikke en stol.

Det er heller ikke en skammel. Jeg er faktisk i tvivl om, hvad den kan. Men jeg husker stadig prisen. Jeg betalte 16.000 kroner for den.

Elefantens historie er, at den er designet af et berømt amerikansk designerpar. Og så er den nummereret. Halløj, den har et nummer! Stik den! Det giver jo ingen mening. Ingen. Men indtil videre beholder jeg den som et symbol på det absolutte nulpunkt i mit liv.

Jeg købte den muligvis på dagen, hvor jeg mistede den sidste rest af sandhed, især i forhold til mit afsindigt dysfunktionelle – daværende – ægteskab. Den elefant er en reminder om, hvor meget jeg har udviklet mig. Jeg er kommet tættere på sandheden.

Nogle gange i livet er vi klar til omgående at se sandheden i øjnene. Typisk når det bliver livstruende. Hvis vi står på gaden og er ved at blive kørt ned, så flytter vi os hurtigt, fordi vores indre billede af, hvad der kan ske, er utrolig tydeligt og malerisk.

Står man derimod lidt mellemfornøjet og mellemtrives i mellemgulvet, er det desværre nemt at blive stående. Det er nemt at bevare illusionen og klatmale sin overflade, men faren er nøjagtig lige så stor som bilen, der kører mod dig med 100 km/t. Resultatet af begge dele er, at man mister en stor del af livet.

Jeg vil ikke mere. Ikke flere lappeløsninger. Ikke male oven på det gamle, før underlaget er renset helt rent og klar til næste lag.

Jeg vil sandheden. Jeg vil de sunde og ægte relationer. Jeg vil dyrke alle, som giver mig energi, og undgå dem, som altid virker som en forbandet støvsuger på mit energifelt.

Nogle gange er der en sandhed, som bare vil ud. Som man slås for at overdøve igennem evigheder. Sådanne sandheder har det med at dukke op, når du slukker den sidste lampe i soveværelset og lægger hovedet på puden. Klar til at sove. Så kommer sandheden snigende nede fra maven og sætter sig på hjernen. Det er den værste. Den, man virkelig ikke tør invitere indenfor.

Det er bare den sikre sandhed, at den tanke *ikke* forsvinder, før vi inviterer den indenfor. Og håndterer den. Taler med den.

Når jeg hver lørdag får lov til at ytre mig som kærlighedsminister i 'Så har vi balladen' på P4, er det, fordi jeg tør dele hudløst ærligt ud af mine tanker og mig selv. Det har i perioder været svært for mig, at andre ikke forstod mit behov for at være så åben.

Jeg føler faktisk ikke, at det er et behov, det falder mig bare meget naturligt. Jeg undrede mig meget, de første mange gange jeg var på tv og mødte kommentarer som 'Du er jo bare fuldstændig dig selv, selvom du er på tv'. Jeg tænkte: Hvem skulle jeg ellers være? Det undrede mig.

Jeg læste for nylig et interview med Svend Aukens enke, der beskrev Svend Auken sådan her: 'Svend havde ikke de samme blufærdighedsgrænser som andre mennesker. Han havde intet at skjule, han var som en åben bog'. Så forstod jeg mig selv meget bedre, de ord passer på mig. Jeg er mig.

Det er nok. Jeg har intet at skjule. Hvad vil du vide?

Det løj jeg om før i tiden

Alt. Vitterligt alt. Stort som småt. Virkelig latterligt.

Her lyver jeg stadig

♦ Den hvide løgn florerer lystigt. Det er løgnen, hvor jeg for at beskytte en anden drejer sandheden en kende
♦ I den gode historie kan jeg godt tangere løgnen, bare for iscenesættelsens skyld, naturligvis
♦ Morløgne: For eksempel når jeg lyver over for min datter om klokken, hvis jeg er virkelig træt og smider hende i seng før sengetid. Det er en meget sød løgn, den beholder jeg. Og den, hvor min teenagersøn ikke helt har brug for at kende sandheden om, hvad jeg løb og foretog mig, da jeg var teenager. Den holder jeg også fast i
♦ Min vægt har jeg løjet om indtil for ganske nylig. Det gør jeg ikke mere. I skrivende stund vejer jeg 79 kilo. Jeg er stærk og høj. Det passer godt til mig. Hvad fik jeg ud af at lyve om min vægt? Intet. Det er jo typisk i sandheden, vi finder handlekraften. Så når man tør stoppe løgnen om vægten, finder man måske modet til at spise sundere og lette rumpetten
♦ Når jeg booker endnu en rejse og godt ved, at den er delvist betalt af de penge, min revisor ringer om lidt og siger, at jeg skal betale i moms. Tilbagevendende situation. Den løgn vil jeg gerne af med
♦ Hvor mange mænd jeg gennem livet har haft sex med. Den løgn er virkelig i *alles* interesse. Lad os sige fem
♦ Så er der selvfølgelig alle de løgne, jeg har fortrængt.

91

De sundeste relationer, vi har, er dem, hvor vi tør vise os selv, vores sårbarhed, vores svaghed, vores humor, vores vrede. Alt. Og når vi tør være os selv i andres selskab, er det trygt for dem, så tør de også være sig selv.

Min erfaring er, at jo mindre jeg forsøger at være, des bedre går det. Når jeg tør sige, hvad jeg savner, kommer det tættere på. Når jeg fortæller, at jeg er bange for ikke at blive hørt, bliver jeg hørt. Når jeg tør sige, at der er noget, jeg ikke forstår, så får jeg det forklaret. Jeg har optrådt og præsteret på slap line i årevis, i et anstrengende, fejlslået og intensivt forsøg på at imponere alt omkring mig kun for at opdage, at jeg imponerede allermest, da jeg holdt op med det.

Der er en talemåde, som siger 'sandheden er ilde hørt', men det er misforstået godhed ikke at turde melde ud.

Da jeg for tre år siden tabte mig og sluttede fred med min krop, forstod jeg endelig, at mine vægtproblemer hang direkte sammen med mit sind. Når jeg ikke har det godt, så spiser jeg, hvad enten jeg er træt, keder mig, er ked af det, tørstig eller sulten. Med den forståelse i bagagen sagde jeg til min familie og mine nærmeste venner: 'Hvis jeg begynder at tage på igen, så har jeg det ikke godt, så vil jeg bede dig om at tage fat i mig og spørge kritisk ind til det. Jeg opdager det nemlig ikke selv, så jeg har brug for din hjælp til at fange det i første fase'.

Alligevel lykkedes det mig at tage 15 kilo på igen, uden at en eneste af dem sagde noget til mig. Jeg har nu tabt mig igen, og jeg har spurgt dem alle sammen, hvorfor de ikke hankede op i mig. Og svaret er så misforstået. De ville ikke gøre mig ked af det, når de allerede kunne se, at jeg ikke havde det godt. De ønskede at slå en jernring af omsorg og kærlighed om mig. Passe på mig.

Men uden sandheden er det meget svært at tage kloge beslutninger. 'Du ser godt ud i den kjole, og jeg elsker dig, men det bekymrer mig, at jeg kan se, at du tager på igen. Jeg ved, at du ikke har det godt, så. Hvad sker der?', havde været bedre. Sværere, men bedre.

Set med mine øjne er det at tie også at lyve. Man kommunikerer også, selvom man ikke siger et kvæk. Selve løgnen kan være grum, men at stjæle en andens ret til virkeligheden ved at tie igennem en længere periode, er også slemt.

Det er nærmest umuligt ikke at kommunikere – selvom vi ikke siger et kvæk. Vores tøj, vores holdning, vores øjne, vores bevægelser – alt kommunikerer – og ligesom jeg vil være ærlig, vil jeg også gerne være bedre til at se det, som krop og øjne kommunikerer. Og stole mere på det, jeg mærker, end det, som mine ører hører.

Det handler om min ret til min sandhed. Kun med sandheden i sigte er jeg i stand til at tage kloge beslutninger for mig selv.

> Kun med sandheden i sigte er jeg i stand til at tage kloge beslutninger for mig selv.

KAPITEL 9

GØR DIG UMAGE

Det er energidrænende at gøre noget halvt. Det er anstrengende at levere et dårligt resultat. Det er trist at skuffe andre. Derfor skal du gøre dig umage. DU bliver glad, når du har gjort dit bedste. Og du bliver ikke så ked af at mislykkes med noget, når du ved, at du gjorde dit bedste.

'Du er så heldig. Du kan dit, du kan dat. Du kan rejse. Jeg, derimod, er alene med to børn, og jeg har ingen muligheder, mit liv er bare middelmådigt, og jeg føler mig ensom'.

Denne mail fik jeg en dag fra en kvinde. Jeg ved ikke, hvad hun forventede af svar, men det eneste svar, jeg har, er: Accepter tingenes tilstand, eller tag ansvar og gør noget. Et eller andet!

Man har altid et valg. Der er altid et eller andet, man kan gøre for at ændre på tingene. Og lidt mere. Og mere til. Hvis du ikke er villig, modig eller handlekraftig nok til at gøre noget som helst af nogen som helst art, så accepter at stå der, hvor du står. Find for høvlen nydelse i at stå lige der, det er nemlig ret usandsynligt, at du kommer til at rykke dig.

95

Der kommer ikke en og redder dig. Der er kun dig. I øvrigt tror jeg ikke på held. Held kan kun genereres af en handling. Man kan kun vinde i lotto, hvis man køber en lottokupon. Selvfølgelig bliver handlingen så tilsat heldet, når lige netop din kupon bliver udtrukket, men uden handling er der intet. Så start med at gøre den ene ting, du formår lige nu. Om det så er at gå en tur og få frisk luft til hjernen.

Men så kom der en ny mail: 'Jeg har ikke de muligheder som dig, da jeg er alene med to børn og en gennemsnitlig indtægt'.

Jeg tror faktisk, at hun har afsindigt mange muligheder, som hun desværre ikke lige nu er i stand til at se. Og så kan jeg ikke lade være med at tænke på forskellen på denne kvinde og min mor.

Jeg er født i Australien i 1972. Min mor var 20 år, da hun fik min storebror, og 22, da hun fik mig. I 1974, da min mor var 24 år gammel, rejste hun til Danmark. Hun var alenemor, forældreløs, fattig og havde ikke engang afsluttet 7. klasse. Min bror, Marck, og jeg kunne ikke tale dansk.

Vi var fattige – sådan rigtig fattige, men hun besluttede sig for at starte forfra og få det bedste ud af det, hun havde, nemlig os, i stedet for at jamre over alt det, hun ikke havde.

Hun ville gerne på ferie med Marck og mig. Så hun tog på cykeltur til Samsø. Et barn på stangen mellem benene på en gammel herrecykel, et barn bagpå, og så lidt bagage. Hun er en ekstrem læremester for os alle udi kunsten at få alt ud af intet. Det er så meget mere inspirerende end at få intet ud af lidt.

Vi blev inviteret ind de fleste steder. Alle, som mødte os og hørte min mors historie, var så benovede og blev fyldt op med livsmod, at de fik lyst til at tilbringe tid sammen med hende, fordi hun er en inspiration i optimal udnyttelse af ressourcer. Så åbnede dørene sig. De fleste mennesker vil gerne omgås andre mennesker, som spreder energi. Når man kontinuerligt jamrer, bliver det sejt at lægge øre til, især hvis ordene aldrig bliver fulgt op af handling!

Hvis man står ved en skillevej og skal vælge i blinde, om man skal gå til højre eller venstre, så kan man gætte og begynde at gå, starte ud med den ene retning. Eller man kan blive stående. Det sidste virker lidt latterligt. Selvfølgelig går man. Går man forkert, kan man jo gå tilbage og snuppe den rigtige.

Men når vi står foran et svært valg i livet, bliver vi blinde og bange og bliver stående. Vi lægger ikke engang mærke til, at vi bliver stående. Vi står der bare. Og spilder værdifuld tid, spilder værdifulde muligheder for at blive klogere og glemmer, at vi sjældent fortryder de fejl, vi laver i livet, men at vi ofte fortryder alt det, vi ikke lige turde.

Jeg er meget bevidst om, at jeg altid har et valg. Det gør det svært for mig at blive i en offerrolle. For i bund og grund har jeg selv valgt, hvor jeg står. Jeg kan til enhver tid træffe en beslutning om at gå i en ny retning. Hvad angår kærlighed, børn, arbejde etc.

97

Jeg var engang på ferie sammen med tre veninder. I fantastiske smukke Rio de Janeiro. På en regnvejrsdag var vi på shopping. Ekspedienten i en sportsbutik var smuk, smuk, smuk. Vi var alle fire temmelig betaget af ham. Da vi går ud af butikken, tænker jeg i et glimt 'Jeg har et valg'. Jeg kan gå tilbage og give ham mit nummer, eller jeg kan gå videre. Hvis jeg giver ham mit nummer, er der en chance for, om end lille, at han ringer. Hvis jeg ikke går tilbage, er der ingen chance for, at jeg nogensinde ser ham igen. Jeg var lige blevet skilt og trængte til et eventyr.

Jeg gik tilbage. Mine veninder var nærmest forfærdede over min pinlige opførsel. 'Hvad har du tænkt dig?' – og det blev dråben. Han fik mit nummer. Jeg fik et eventyr. Jeg trækker stadig på smilebåndet.

Var det, fordi jeg turde, eller var det, fordi jeg ikke turde lade være? Sandheden er, at jeg ikke turde lade være. Jeg orkede ikke at skulle tænke på resten af mine dage, hvad der kunne være sket, hvis jeg havde turdet. Sådan et minde har jeg nemlig allerede et af. Olivier, som jeg aldrig kyssede, var en lærestreg:

Et par måneder efter min 16-års fødselsdag hoppede jeg på toget på Hovedbanegården og tog på interrail. Hele fantastiske Europa rundt med en alt for tung rygsæk og kæmpe drømme.

Jeg flirtede med politiet i Paris, drak mig meget fuld i Portugal, og en aften dansede jeg med Olivier i Barcelona. Olivier blev en livslektie! Fordi jeg valgte *ikke at kysse ham*. Jeg fik en fiks ide om, at jeg lige ville spille lidt kostbar til næste aften. Men ak, han kom ikke den næste aften. Jeg havde taget et billede af ham, og det billede hjemsøger mig stadig, når jeg rydder op i skotøjsæskerne med minder fra dengang.

Min teori og livsfilosofi er, at vi fortryder det, vi ikke gør, mere end det, vi gør. Især i det tilfælde, hvor det så i mellemtiden er blevet for sent. Dét er skræmmende, det er meget mere uhyggeligt end at gøre noget og kludre i det!

Faren er selvfølgelig, at man kommer til at gøre noget forkert og fejle, men pyt med det, who cares, det griner man snart af. Det er nemt at tilgive sig selv for at tage fejl, men det er svært at tilgive sig selv at være en kylling i livet. Når jeg griner højest, er det oftest af gamle skøre minder, ting, som i situationen forekom som uoprettelige livsfadæser. Møgsjove ligegyldigheder – når først jeg har sovet på det en (eller 1000) gange.

Måske har jeg undervejs slået mig mere end de fleste, men til gengæld spekulerer jeg aldrig over, hvad der ville være sket, hvis jeg havde turdet. For jeg gjorde det jo. Jeg fortryder intet. Altså bortset lige fra Olivier. Han lignede virkelig en, som var god til at kysse.

Olivier blev en ledestjerne. Han var indirekte skyld i mit eventyr med Marco i Rio. Marco kunne i øvrigt ikke tale engelsk. Jeg kan ikke tale portugisisk. De eneste ord, vi nogensinde udvekslede, var, da han sagde 'I will never move to Denmark. I love my mother'. Marco var 23 år. Jeg var 37. Og med mine to børn hjemme i Danmark (med to forskellige fædre) tænkte jeg, at det lød fornuftigt nok, at han blev i Rio.

Hvor Olivier blev en livslektie, blev Benjamins bemærkning, 'Hvis der ikke er noget i hele verden, du hellere vil, så forstår jeg dig ikke', en åbenbaring.

I alle valg er der fravalg, mulighed for fejlvalg, usikkerhed, men også muligheder. Tag valget.

Jeg havde tilvænnet min hjerne og mit hjerte, hele min krop til at leve i den fatale tilfældighed og med 'sådan plejer man jo at gøre'-situationen, som jeg var havnet i. Jeg var i leverpostejens vold. Så jeg sagde som bekendt op og kørte på stranden. Og fra da af har jeg truffet mange beslutninger. Og siden har jeg altid husket på, at jeg har et valg.

De vigtigste valg, jeg har truffet i mit liv

> At turde handle på mine drømme

> At få børn

> At blive selvstændig

> At blive gift

> At blive skilt

> At blive sund

> At være ærlig.

De sværeste valg, jeg har truffet i livet

> At gå fra en kæreste, som jeg elskede højt. Jeg gik, fordi jeg ikke følte, han var der for mig

> At tro på, at det altid betaler sig at være ærlig. Især over for mig selv

> At sige mit arbejde op uden nogen plan for fremtiden. Uden at have en uddannelse

> At vælge nære venner fra, fordi vi var blevet smerteligt forskellige, og venskabet var en dårlig vane

> At turde elske igen, efter at mit hjerte havde været aldeles sønderknust

> At virkelig turde tro på, at min økonomi ikke har indflydelse på min lykkefølelse

> At være taknemmelig. Man kan ikke både være taknemmelig og bitter. Jeg vælger taknemmelighed. Hver dag.

Hvis vi tillader nuet at være farvet af minderne fra fortiden eller overskygget af forventningerne og frygten for fremtiden, så lever vi hele livet oppe i hjernen. Men livet sidder ikke i hjernen. Livet sidder i maven, i tungen, i øjnene, i ørene, i fingrene – overalt! Derfor skal vi turde fyre meget mere op under vores sanser. Gør vi det, er der mange flere glimt af lykke til os alle sammen.

Husk også, at det, som i sekundet kan virke som verdens største og altoverskyggende fadæse, ofte over tid bliver til vores sjoveste minder. Jeg er også bange for, hvad der kan ske, når jeg går på gyngende grund, men jeg er endnu mere angst for det, der ikke sker, hvis jeg bliver i min kedelige og trygge komfortzone.

Pas på, at fantasien, som har det umuliges farver og dufte, ikke spiser din tid. Intet er så perfekt som dine drømmes forestillinger, men intet er da så trist som at leve hele sit liv oppe i drømmenes univers.

Det her digt af Portia Nelson er altid godt at læse, hvis man føler, at man går i cirkler i livet. Læs det. Gerne to gange. Jeg læser det tit. Jeg fik det af min ven Thomas, da han var træt af at høre mig jamre, når det i virkeligheden var mig selv, som blev ved med at gå i cirkler og efterfølgende blive forbavset over, at jeg stod det samme latterlige sted – igen! Tak, Thomas.

> I walk down the street.
> There is a deep hole in the sidewalk.
> I fall in.
> I am lost ... I am helpless.
> It isn't my fault.
> It takes forever to find a way out.

> I walk down the same street.
> There is a deep hole in the sidewalk.
> I pretend I don't see it.
> I fall in again.

I can't believe I'm in the same place.
But it isn't my fault.
It still takes a long time to get out.

I walk down the same street.
There is a deep hole in the sidewalk.
I see it is there.
I still fall in. It's a habit
My eyes are open
I know where I am
It is my fault. I get out immediately.

I walk down the same street.
There is a deep hole in the sidewalk.
I walk around it.

I walk down another street.

Vi fortryder det, vi ikke gør,
meget mere end vi fortryder
det, vi gør.

KAPITEL 10

VÆR IKKE BANGE FOR AT FEJLE

Hvis du ikke tør kvaje dig. Hvis du ikke tør fare vild.
Hvis du ikke tør spørge dumt. Hvis du ikke tør afprøve
en ny opskrift. Hvis du ikke tør fejle – hvordan skal du
så udvikle dig?

Jeg bliver ofte skudt i skoene, at jeg er modig, og jeg reagerer
som regel med en slet skjult irritation. Jeg bryder mig ikke
om at sige påstanden imod, da den er ment som et kompli-
ment, men den irriterer mig alligevel. For jeg føler mig ikke
modig. Når jeg bliver bange, usikker, bekymret, har jeg det
som alle andre mennesker. Jeg bryder mig ikke om situatio-
nen, jeg prøver at undgå den ... I hvert fald indtil jeg bliver
opmærksom på det. Så går jeg i flæsket på den.

Det er en gave at nedbryde komfortzoner. Gør vi det ikke,
bliver vi mere og mere indskrænkede i vores dagligdag og livs-
valg. Vi svælger i historier, hvor andre mennesker har udvist
stor handlekraft og mod. Tilsyneladende for at gøre, som vi
gjorde i går. Det er et meget stort mysterium for mig.

Mange mennesker har forbilleder, som de ser op til uden overhovedet at forsøge at adoptere deres måde at gribe tingene an på. Jeg stjæler med næb og klør fra de mennesker, jeg ser op til. Jeg anerkender, at hvis de kan og gør noget, jeg drømmer om, så giver det total mening at kopiere dem. For de fleste af os er det helt normalt, når vi taler mad: 'Hvordan lavede du det?', så deler vi ud af erfaringer, går hjem og forsøger i vores egne køkkener. Men hvorfor ikke bruge samme strategi omkring de store ting i livet. Kopier dine forbilleder!

Som jeg ser det, er jeg ikke specielt modig. Men jeg er heller ikke så bange for at fejle. Jeg er ikke så bange for at prøve kræfter med alt muligt og umuligt, fordi jeg ved, jeg kan meget, og ingen forventer vel, at jeg kan alt. Derfor kaster jeg mig gerne ud i noget nyt. Og går det så galt, så har jeg stadig min solide platform i kraft af alt det, jeg kan.

For nogle er det en prøvelse at lave en ny ret og servere den for gæster. Jeg er ikke så nervøs. Jeg har engang serveret en hummus med små blå plastikstykker i, fordi jeg havde udvandet bønner i et døgn, blendet og smagt til. Det var første gang, jeg nogensinde lavede hjemmelavet hummus, og det var temmelig tidskrævende. Da jeg skulle blende det til sidst, stak jeg lige min fine, nye lyseblå dejskraber ned i blenderen for at få de ublendede kikærter fra kanten med ind i loopet, og vupti – var dejskraberen blendet med.

Men helt ærligt, det var jo også pissesjovt, og alle gæsterne sad allerede ude i haven i sommerhuset. Så jeg gik ud og smaskede hummus på bordet, viste den afdøde dejskraber, forklarede situationen til gæsterne og lovede en lille præmie (som ikke fandtes) til dem, der kunne præstere et stykke lyseblåt plastik.

Jeg kunne godt have fået et raseriflip eller en nedsmeltning i samme situation. Hvis jeg havde taget mig meget af, hvad andre mennesker tænker. De fleste af de hæmmende tanker kommer fra os selv.

Jeg skulle engang til en fest med min veninde Katrine. Da vi ankom og skulle til at gå ind, bad hun mig lige vente sammen med hende udenfor i fem minutter. Ja, selvfølgelig. Men da vi havde stået der lidt, blev jeg interesseret i, hvorfor vi stod udenfor. Og Katrine forklarede til min store forbavselse, at hun ikke vidste, hvor hun skulle gøre af sine hænder, når vi gik ind i lokalet.

Hun var holdt op med at ryge, og nu var hænderne ligesom bare der. Og hvor skulle hun gøre af dem? Det er noget af det skøreste, jeg nogensinde har hørt. Jeg forstod det simpelthen ikke. Det har intet at gøre med virkeligheden.

Hænderne sidder for enden af armene. På de fleste. Det ser meget naturligt ud. Og sandsynligheden for, at et eneste menneske i det rum havde skænket Katrines hænder en tanke, er nærmest lige nul, for de har selv afsindigt travlt alle sammen med at spekulere på, om de ser tykke ud i deres sko, om Søren ovre i hjørnet kan huske dengang, jeg nøs og stod med snot i hånden. Alt sammen afsindigt skørt.

Da jeg var cirka 15 år gammel, arbejdede jeg hos en slagter i Prima i Hillerød. Jeg var opvasker. Jeg elskede mit arbejde, jeg var den eneste pige mellem slagtere og slagterlærlinge. Det var hårdt arbejde, men vi havde det sjovt. Jeg havde afsindigt stor respekt for de to mestre, Aksel og Arni.

En af mine arbejdsopgaver bestod i at bære aftensmaden fra køkkenet over i kantinen hver fredag. Butikken lukkede sent, og slagterafdelingen lavede aftensmad til samtlige ansatte. Jeg skulle sikre, at fadene var fyldte og stod klar, når pauserne begyndte klokken 17.

Denne specifikke fredag var det vinter, frostvejr og mørkt. Arni kom ud og sagde, at jeg skulle gå med et fad ad gangen, for der kunne være glat på trappen. Jeg vidste nok bedre og ville færrest muligt gange ud i kulden, så jeg stavrede af sted med alle de fade, jeg kunne balancere. Jeg nåede fire trappetrin ned, før jeg skvattede og rutsjede resten af vejen. Jeg slog mig mildest talt ad helvedes til, og alle krebinetterne lå hulter til bulter på jorden. Jeg samlede det op, som kunne reddes, og slettede med en morders præcision resten. Så var der styr på det.

Der gik en halv times tid, før Arni stod ude i opvasken og råbte 'Hvad helvede der var sket med al maden'. Første hold var færdige med at spise, da andet hold dukkede op til tomme fade i kantinen.

Arni vidste med års erfaring, hvor meget kød der skulle til at bespise en hel butik. Jeg begyndte at græde, viste mine blodige knæ og hænder og forklarede om mit styrt. Arni spurgte, om jeg var gået med et fad ad gangen, som han havde rådet mig til ... Hm!

Nu fik Arni meget travlt med at stege nye krebinetter, og da krisen var overstået, kom han ud og satte sig i opvasken.

Her sagde han noget, som jeg har levet efter lige siden: 'Michelle, alle mennesker kvajer sig. Det er umuligt at gå gennem livet uden. Konceptet bag at kvaje sig er, at det altid sker satans ubelejligt. Men når man har kvajet sig, står man ved det. Altid. Ellers bliver det kun værre. Det, du fik ud af at skjule det, var meget værre end at fejle, nemlig skuffelsen. Husk det. Stå ved det, næste gang du kvajer dig. Så bliver du et stort menneske!'.

Jeg kvajer mig da tit. Det er uundgåeligt, når man tager mange beslutninger. Jeg har budgetteret med at fejle en hel del, så det slår mig ikke ud, når det sker. Jeg forventer det. Jeg deler mine fejltagelser med mine venner, jeg ved, at den hurtigste genvej til at løsne knuden i maven er at fortælle andre om den.

Hvad gør du? Måske er du en af dem, der gør, som Michael Simpson synger om i sangen *Jeg sidder fast*: 'Og i nat der lagde jeg tusind planer, men i morges der gjorde jeg, som jeg plejer'. Download den, og hør den.

> Det er en gave at nedbryde komfortzoner. Gør vi det ikke, bliver vi mere og mere indskrænkede i vores dagligdag og livsvalg.

KAPITEL 11

TAG UD OG SE VERDEN

At rejse er at leve. H.C. Andersen var en klog mand. Forud for sin tid. Jeg har rejst hele mit liv. Min udlængsel er stor. Mere vil have mere. At se, smage og forstå andre kulturer er en rigdom.

Jeg har en stor længsel efter oplevelser, og jeg elsker at rejse. Jeg elsker storbyer. Jeg elsker at opleve fremmede kulturer. Jeg elsker virkelig at rejse. De største oplevelser, jeg har haft, har været at besøge og få indblik i fremmede kulturer. Jeg længes efter at vise mine børn, hvordan andre mennesker lever i andre verdensdele.

At rejse er en af mine største drivkræfter, og uden en drivkraft er det svært at nå målet. Min hjerne vil generere gode ideer, som jeg kan omsætte til forretning. Mest for at tjene penge til min næste rejse. Når jeg forhandler min løn i forskellige sammenhænge, så er min valuta flybilletter. Hvis jeg skal holde et foredrag, og køberen vil betale et vist antal kroner, så kører jeg det beløb gennem min indre valutaomregner, og straks ved jeg, om det rækker til en ferie på Mallorca eller i New York.

Jeg ved præcis, hvor mange foredrag der er nødvendige for at nå i mål. I årevis har jeg haft det som en erklæret målsætning altid at have en rejse i sigte. Altid. Det motiverer mig nemlig til at:

> Arbejde hårdt
> Kæmpe for nye ordrer
> Være kreativ med nye ideer
> Forfine gamle ideer
> Kontakte nye relationer
> Ringe igen
> Insistere
> Sluge endnu et afslag
> Stille op (selvom jeg er på dybt vand)
> Bede om hjælp
> Ignorere dem, som ikke tror på mig
> Fortsætte
> Ændre på tingene
> Forny mig
> Lytte til dem, som bakker mig op
> Søge dem, som bakker mig op
> Holde mig vågen
> Kæmpe
> Tilegne mig mere viden
> Gøre mig mere umage
> Søge den inderste afkrog af min hjerne
> Forsøge igen
> Sidst, men ikke mindst: starte forfra, en gang til og igen. Og så endnu en gang.

Jeg minder mig selv om, at den store oplevelse også kan ligge i det mindste. Hvis man har blik for det. Min tidligere svigermor mindede mig om det efter, at jeg i en periode var lidt for højt til vejrs. Jeg var træt af lufthavne, de var et onde, jeg skulle igennem for at nå målet.

På en sund måde trak hun mig lidt ned på jorden: Vi skulle ud at rejse. Allerede i lufthavnen skød hun den første rulle film af. Allerede inden vi boardede, var hendes rejse godt i gang: 'Smil. Stil jer foran flyveren. Gud nej, er der en pølsevogn herude?' Hun havde allerede oplevet meget, før vi overhovedet satte os ind i flyet.

Jeg, derimod, havde i årevis haft lufthavnslede. Jeg havde rejst meget, og jeg havde helt glemt, at lufthavne er spændende, sjove, energiske og fuld af mennesker fra hele verden, man kan studere. Og de er ikke et nødvendigt onde, de er fantastiske! I den situation var min tidligere svigermor den klogeste af os to. Hun sugede til sig, og det inspirerede mig.

Når jeg rejser i dag, starter min oplevelse allerede i metroen på vej til lufthavnen. Jeg minder mig selv om det regelmæssigt – også i alle mulige andre sammenhænge. Jeg vil huske at finde glæden i det små, selvom jeg altid jager den næste store oplevelse.

Jeg er også på rejse, når jeg er i København. Hver eneste gang jeg krydser gennem byen, oplever jeg noget. For nylig så jeg en and i en lillebitte vandpyt på en stor byggeplads, den lå i sin vandpyt og lignede en, som ejede sin egen slotssø. Jeg stoppede op og tog mig tid til at se på anden og tog et billede.

113

Jeg syntes, det var verdens klogeste and, den forstod virkelig at få det meste ud af lidt.

Når jeg går en tur på Nørrebro, hvor jeg bor, kan jeg opleve hele verden på få hundrede meter. Her er virkelig kultur fra alle afkroge af verden, og hvis man holder øjnene åbne, er her meget at opleve. Benjamin og jeg grinede forleden aften af en ny diner 'WOK-sushi'- et virkelig dårligt og modstridende navn. Det havde vi faktisk meget sjov ud af, vi spillede rollerne som ejerne, der sad og brainstormede for at finde på et navn. De andre navne må have været elendige, siden 'WOK-sushi' var det bedste. Det var virkelig sjovt.

Cap Verde

I foråret 2012 havde jeg mine børn med til Cap Verde. Det var en charterferie, men jeg ønskede, at mine to børn skulle se, hvordan der er på den anden side af All inklusive-muren.

Når vi hoppede i poolen, vandrede de lokale børn langt efter vand til almindelige dagligdags fornødenheder. Vi så de børn komme gående med æsler, der havde vand spændt på ryggen, og det gjorde stort indtryk på mine egne unger.

Det lykkedes os at komme hjem til en lokal familie. Kamille ville gerne have flettet sit hår som de små afrikanske piger, så jeg spurgte en lokal på gaden, om han vidste, hvor vi kunne finde en, som kunne lave de fletninger.

Vi fandt dem og blev inviteret indenfor i deres hjem på cirka fire gange tre meter. Der var ni mennesker derinde, fire mænd sad på en madras på gulvet og så fodbold på en skrattende skærm. De hilste mig velkommen med danske fodboldnavne, da vi trådte ind ad døren, og jeg smilede og genkendte heldigvis to af dem – Rommedahl og Bendtner.

På gulvet i lejligheden krabbede nogle blebørn rundt hulter til bulter. Deres legetøj var et par tomme papemballager. Der sad et par kvinder på en anden madras – i gang med at samle smykker til at sælge på gaden. Faktisk væltede det ud og ind af den lille lejlighed. Stemningen var god og kærlig. Alligevel var især Benjamin chokeret: Bor de alle sammen her? De har ingen møbler?

Det er ikke unormalt, at kvinderne har tre børn, inden de fylder 20 år, og de tre kvinder i lejligheden var alle mødre. De arbejder med børnene på ryggen. De henter vand, laver mad, sælger smykker – alt sammen med en baby på ryggen.

Benjamin og Kamille gjorde store øjne. Denne her familie var endda rige, fordi de havde strøm.

Indien

Det er svært at falde i søvn om natten, når man ikke kan abstrahere fra en konstant og irriterende larm lige uden for hotelværelset. Man ligger der og ser sig afsindigt gal på lyden. Og man vil bare sove. Og det er jo umuligt i det spektakel. Og så på et hotel, hvor man netop betaler for at slappe af ...

Denne klage kom fra en af gæsterne på det hotel, jeg boede på i Indien. Larmen, hun klagede over, var såmænd bølgernes brus. Hun kunne ikke sove, fordi bølgerne larmede.

Og det er jo virkelig synd for damen, som ikke kunne sove. Men helt ærligt, fru Sur: Du er i Indien! Du er på eventyr. Du kan sove på stranden i morgen. Du kan stå op og se ud over havet. Du kan sende en kærlig tanke til den hval, som tidligere på dagen var så galant at give mig et af mit livs største oplevelser, da den svømmede forbi og slog med halen.

Men du kan selvfølgelig også vælge at hidse dig op over, at det da er alt for galt, at det forventes, at du kan sove i det spektakel. Og hvordan skal du dog nyde morgenmaden, når buffeten er så overdådig, at det er umuligt at vælge.

Jeg digter ikke. Der var virkelig en dame, der kontaktede rejsebureauet i Danmark og klagede over larmen fra bølgerne om natten og den overdådige buffet. Det er et eksempel på, at virkeligheden overgår fantasien. Og parodierne med.

Jeg kunne remse hundrede ting op, som den sure kvinde kunne vælge at være så taknemmelig for, så hun slet ikke havde tid til at hade havet. Men hun valgte at se det negative i stedet for det positive.

Vi kan nemt blive enige om, at hun er for tåbelig. Men tænk hellere lige over, hvornår du selv er et utaknemmeligt skarn. Det er meget mere interessant, for det kan du gøre noget ved.

Maldiverne

Sommeren 2011 tilbragte jeg ti dage i paradis. Uden børn, kæreste eller venner. Bare mig alene i en kæmpe vandvilla, på pæle over havet. Jeg dyrkede masser af sport og yoga, gik så lange ture, som de bittesmå koraløer nu engang tillader, spiste vidunderlig mad, læste en masse bøger, sov længe, dykkede med hajer, sov til middag og gik tidligt i seng. Jeg tror, min såkaldte body age blev halveret på de ti dage.

Det store spørgsmål hjemmefra var, om jeg ville nyde at være alene så længe. Svaret blev et stort rungende JA!

Jeg havde store oplevelser og mange små stunder af total lykke. For eksempel da der pludselig lød en mærkelig plasken i vandet, da jeg lå og småsov. Da jeg satte mig op og kiggede ud over vandet, så jeg hundredvis af små blå fisk, der kom springende gennem bugten som småbitte delfiner.

For fem år siden ville jeg ikke have været klar til den tur. Ikke engang for to år siden – det ville være endt med gråd og ensomhed på en dårlig måde. Men nu var jeg klar, og det var fantastisk.

Jeg slugte ikke mindre end otte fantastiske romaner. Jeg savnede min familie, men jeg nød at være alene, og jeg ville til enhver tid gøre det igen. Rejse væk alene. Jeg vil også opfordre dig til at gøre det, hvis du har chancen. Man behøver ikke at tage så langt som til Maldiverne. Snup en forlænget weekend i et sommerhus, og se, hvad det gør ved dig.

Kenya

Jeg har samlet penge ind til nødhjælp siden midten af halvfemserne. Jeg er glad for at kunne hjælpe økonomisk, men allerhelst vil jeg have fingrene i dejen. Det fik jeg i Kenya, da jeg var med Kvinder for Indflydelse dernede i 2011.

Her tilbragte jeg en nat i en hytte midt på savannen sammen med Mary og Marys familie. Ingen el. Ingen vand. Ingen kære mor.

Mary er 55 år. Hun er gift, har fire børn og to børnebørn. Hendes mand er snedker. Han bor i Kibera, slumbyen ved Nairobi, og besøger familien cirka hver sjette uge.

Mary bor der, hvor kragerne vender. Hun har en lille butik. Jeg så den. På det tidspunkt var der tre opvaskebaljer, fem par klipklappere, lidt brugte sko og nogle Tupperware-bøtter til salg, men hun var meget stolt af sin butik.

Jeg mødte Mary til et kvinderettighedsmøde ved en lille kirke langt ude på landet ved Kisumu ved Victoriasøen. Efter mødet skulle jeg skilles fra mine rejsefæller fra Danmark. Hver især skulle vi indlogeres privat i en nat. Jeg skulle med den smukkeste, tykkeste og mest farvestrålende af dem alle, Mary. Det var jeg godt tilfreds med. Jeg havde ikke lige forestillet mig, at Mary hverken havde naboer, elektricitet, toilet eller vand.

Vi kørte først 45 minutter i jeep ad hullede, elendige grusveje. Jeg kunne faktisk slet ikke se, at det var en vej, jeg kunne bare se en erfaren chauffør bag rettet på en Landrover. Han kendte sine hjørner og hjul til mindste detalje, og så var der jo ingen grund til at sætte farten ned.

Chaufføren var til ære for mig. Den luksus har Mary ikke til hverdag. Efter 45 minutters kørsel fra sidste synlige lerhytte blev vi sat af midt i bushen. De sidste 45 minutter frem til hytten foregik til fods.

Det var en afsindigt smuk tur med blomstrende kaktusser, lyserøde blade dalende ned fra træerne i vinden – det mest uspolerede sted, jeg nogensinde har set. Det var skumring, før vi endelig nåede frem til hytten. På himlen var der en milliard stjerner.

Overalt på grunden var der dyr. De har problemer med aber, som stjæler afgrøder, derfor har de mange hunde. De har mange problemer med slanger, derfor har de katte. Deres eget dyrehold bestod af køer, geder, høns og en enkelt hane. Samtlige dyr tumlede rundt på grunden, der var et minefelt af forskellige slags ekskrementer.

Mary havde fire børn og to børnebørn. Den ældste, Vincent på seks år, var stum. Han gik rundt for sig selv i mørket. At have en handicappet er en stor belastning for en fattig familie ude i bushen. Jeg tabte mit hjerte til den lille snottede dreng. Hvad skal der dog blive af lille Vincent?

Hytten, jeg skulle sove i, bestod af et skur på tre gange tre meter. Der var ikke gulv, men Mary lånte mig et par slippers. Hun var meget stolt af, at de havde bliktag frem for strå.

Indenfor var hytten delt i to. Stue og soveværelse. Toilettet var et hul i jorden lidt fra huset. Køkkenet var en separat hytte med et lille bålsted på jorden. Derudover var der en lille hytte til svigerforældrene og en lille hytte til Marys ældste datter og hendes mand. Børnebørnene boede i Marys hytte.

Der var bælgmørk. Altså virkelig, virkelig mørkt. Der væltede mennesker ud og ind af hytten. Indimellem tog jeg et billede med blitz for at orientere mig om, hvor mange der egentligt var i 'stuen'. Børnene legede med min iPad, de grinede og grinede. Jeg fortalte Mary om mit liv og min hverdag. Mary fortalte sin imponerende livshistorie, jeg ønskede at huske hver eneste detalje. Jeg knugede min telefon til mig. Dels kan den lyse, lidt, dels var den min kontakt til omverdenen. Jeg følte mig på en måde MEGET alene.

Takket være mikrolån er der ikke længere sult i Marys familie. Hun fortalte, at de store børn voksede op med stor fejlernæring og sult, men at det var flere år siden, de virkelig havde sultet. Hun sælger lidt grøntsager, og der er gerne lidt til overs til familien. Typisk spiser de ris, vælling, lidt kylling og en smule grøntsager. Det skulle vi også have. Kylling er meget populært, de bliver handlet levende, så der er ikke problemer med, at de skal holdes på køl.

Madlavningen foregik i køkkenhytten. Et lille bål på jorden, og så sad vi på hug og ordnede grøntsager. Uden el har de ikke mulighed for at have noget på køl, derfor skal der handles, høstes, hentes proviant hver dag.

Vand bliver hentet til fods cirka seks kilometer væk. Der skal hentes seks dunke hver dag med 20 liter i hver for, at de har nok til madlavning, dyr, hygiejne osv. Det er et stort, tungt arbejde. Typisk er det pigerne, som henter vand, mens drengene er i skole. Som en ekstra lille stressfaktor er der krokodiller ved søen. Det sker, at pigerne bliver taget af en krokodille. Det lød næsten for sindssygt for mine sarte, forkælede danske ører.

Eftersom at vi intet kunne se, gik vi tidligt i seng. Klokken 22 var det sengetid, og jeg skulle sove i en seng sammen med Mary og de to børnebørn. Vi delte tæppe. Det var meget grænseoverskridende, og jeg foreslog at sove på en stol i stuen, men Mary afslog bestemt: 'Tomorrow you will die from malaria'. Så jeg kravlede ned under tæppet og myggenettet og lå lysvågen i mørket de næste syv timer. Det er den længste nat i mit liv. Jeg turde nærmest ikke bevæge mig, jeg lå bare musestille og tænkte på dem derhjemme.

Jeg tænkte på, hvor svært det er at forklare danske børn omfanget af at være født i Danmark kontra Afrika. Hvor privilegeret vi er. Jeg tænkte på, hvor meget jeg holder af civilisationen, sygehusvæsenet, vandhaner, stikkontakter osv. Endelig galede hanen, og vi stod op.

Der er mange gøremål for en kvinde i Afrika. Marys datter går heldigvis stadig i skole. Mange har ikke råd til bøger og skoleuniform, det er egentligt gratis at gå i skole, men der er alligevel udgifter forbundet, ikke alle har råd. Mange piger dropper ud af skolen omkring puberteten, de har ikke adgang til hygiejnebind, og derfor må de blive i hytterne, når de har menstruation.

121

Marys datter fortalte mig, at hun får pisk, hvis hun kommer for sent i skole. Pisk! I 2011? Det var det største chok for mig på hele turen. Jeg tror, at afstraffelse af børn er med til at dræbe gåpåmod og kreativitet, to faktorer som Kenya har stort brug for.

Den gode nyhed er, at det faktisk er blevet forbudt at straffe børn. Det er også ulovligt at afvise et barn fra en skole, fordi de ikke er iført skoleuniform. De ved det bare ikke endnu på landet, og der er en stor formidlingsopgave. Det kommer til at tage lang tid på grund af manglende infrastruktur og kommunikationskanaler.

Dagen efter den lange nat i Marys seng rejste vi videre til Mombasa.

Her boede vi på et luksushotel, jeg fik et tiltrængt bad. Spiste en overdådig middag fra en bugnende buffet. Kiggede på tyske mænd med vielsesringe som spiste middage med smukke, unge kenyanske kvinder, de havde købt til lejligheden. Betragtede ældre tyske damer, som holdt hof med smukke, unge kenyanske mænd, de havde købt til lejligheden. Tomme blikke uden skyggen af gnist og glæde. Et klamt og fattigt liv set med mine øjne. Så var der langt, langt mere værdighed over Proud Mary.

Marys livskvalitet er ikke dårligere end så mange andres. Jeg tror, hun lever et rigt liv på mange måder. Selvfølgelig skal vi hjælpe hende med adgang til basale ting som vand og lægehjælp, men vi skal ikke tro, at vi i Vesten har patent på lykke.

Jeg kender mange mellemfornøjede, forkælede tosser, som kunne have godt af en nat i Marys hytte. Ligesom jeg selv. Af alle rejser jeg har været på, var døgnet i Marys hytte den største oplevelse af dem alle. På en nat ændrede jeg mit syn på det meste i livet.

På pinterest.com/michellehviid/ kan du se snapshots fra mine rejser.

> Jeg vil huske at finde glæden i det små, selvom jeg altid jager den næste store oplevelse.

KAPITEL 12

ELSK MEGET

At slippe kontrollen og kaste sin kærlighed på et andet menneske er sårbart. Når vi lukker nogen ind i vores hjerte, er det med en evig fare for, at de kan forsvinde igen. Men derfor må vi gøre det alligevel. Relationerne til andre mennesker er det vigtigste, vi har.

'Har du *to* børn med *to* forskellige mænd?'

Det spørgsmål blev jeg stillet til en fest af en mand, der med himmelvendte øjne og hån i stemmen signalerede, at jeg var den mest letlevende kvinde, han havde mødt i sit liv.

Her er den lange version af det korte svar, jeg gav ham:

Ja, jeg har to børn med to forskellige mænd. Jeg er vel nok en uorganiseret skøge. Til gengæld er jeg et af de mennesker, jeg kender, som er mest tro mod sig selv.

Jeg har nemt ved at forelske mig, og jeg kan elske højt. Men når lidenskaben går fløjten, og det er umuligt at finde den igen, er jeg den, der er smuttet. Der er ikke så meget filter, fis og fyld i mig. Jeg har aldrig delt hjem eller seng med en mand, jeg ikke begærede afsindigt. Hvor mange kan sige det? De mænd, jeg har delt mit liv med, har været mit et og alt. Indtil de ikke var det mere.

Jeg har aldrig været en kæreste utro – ja, jeg har ikke engang været i nærheden af at være en utro. Det tætteste, jeg er kommet på en 'ulovlig affære', er, da jeg forelskede mig i en gift mand. Han havde 'glemt' at fortælle, at han var gift, og jeg trak mig i samme sekund, jeg fandt ud af det.

Jeg bukker og nejer ydmygt for dem, som lever passioneret med den samme partner livet igennem. Det blev bare ikke sådan for mig.

Når jeg hører radioreklamer for VictoriaMilan.dk – et website, hvis formål er at skabe kontakt mellem mennesker, der allerede er i forhold, men som søger en affære – så undres jeg over, at der er et grundlag for en virksomhed, hvis primære formål er at hjælpe mennesker, som lever på en løgn, med at finde hinanden. Jeg forstår det simpelthen ikke.

Resultatet er blandt andet to afsindigt elskelige og elskede børn, der er skabt i ekstrem kærlighed og lidenskab, men altså med to forskellige fædre. De har et godt og trygt liv, og når det drejer sig om livsmod, passion og store ambitioner om at smage verden, så bilder jeg mig ind, at jeg er et godt forbillede. Til trods for vores utraditionelle familiestruktur virker begge børn glade, hele og normale.

Jeg tror på kærligheden. Jeg tør kærligheden. Det kan være

126

svært at undgå frygten for kærlighed, når man som jeg er blevet væltet omkuld af den flere gange. Alligevel ville jeg ikke gøre noget om, hvis jeg kunne, og jeg insisterer på at turde igen.

Jeg har prøvet at miste mig selv – fyldt op af kærlighed, som jeg ikke kunne komme af med. Jeg kæmpede hovedløst videre alene i en kærlighedskamp, som for længst var tabt, både på forlænget spilletid og i straffesparkskonkurrencen. Jeg var helt alene på banen uden overhovedet at ænse, at min medspiller for længst havde trukket sig. Til sidst faldt jeg udmattet og nedkørt om. Det lærte jeg mest af. Det sker aldrig igen.

I 2009 var jeg i Zimbabwe med et velgørenhedsprojekt for 'Kvinder for Indflydelse', det var lige efter min skilsmisse, jeg havde været dybt ulykkelig og havde grædt. Og grædt. Og grædt.

Det var en tur, som gjorde stort indtryk. Det var voldsomt at møde mennesker, som lever et liv, hvor hverken mad eller vand er en selvfølge. Jeg følte mig pludselig meget forkælet. Det sidste stop på turen var Victoria Falls. Den største naturoplevelse i mit liv. Vandet buldrede og bragede. Der var høj sol, men vådt overalt. Himlen var fyldt med regnbuer. Jeg blev meget overvældet.

Og så kom jeg til at tænke på, hvor ligegyldigt det var, at jeg var blevet skilt. Der var ikke noget i hele verden, der var mere ligegyldigt. Hvad var sandsynligheden for, at han ville være den eneste mand, jeg kunne elske i hele verden? Tænk at sige helt alvorligt til sig selv: 'Han var den eneste mand for mig ud af flere milliarder mænd i verden'.

Det viste sig også, at jeg sagtens kunne elske igen. Og igen. Jeg kan nu undre mig over, hvordan det var lykkedes mig at stikke hovedet så langt op i min egen røv, så længe, og så stadig være frustreret over udsigten. Jeg vågnede op den dag ved Victoria Falls.

Vi mennesker er slet ikke vigtige. Jeg er ikke vigtig. I det store billede er det ligegyldigt, hvad jeg gør. Eller ikke gør. Så kan jeg vel lige så godt gøre lige nøjagtigt det, jeg har lyst til?

Vi er ikke andet, end hvad vi gør os selv til, så vi skal ikke være så skide selvhøjtidelige. Når man først tænker sådan, er der ikke så meget, der er farligt. Med den indstilling tør jeg alt.

Når du sidder hjemme og har lidt ondt af dig selv, er det en god ide at huske på, at i det hjem, du bor i, omringet af det kvarter, du lever i, med den by, der er rundt om det, og det land, du befinder dig i, er det simpelthen fløjtende ligegyldigt, hvad du gør eller ikke gør. Verden bliver ved med at dreje rundt. Vi kan lige så godt lege med.

Når jeg skal trøste venner, veninder eller mig selv, så husker jeg altid på, at tiden er vores ven. Med tiden vil kun de gode minder bestå. 'This, too, shall pass' er et fantastisk mantra, når jeg er i ubalance.

Når en ekskæreste bevæger sig naturligt videre i livet, kan vi hurtigt komme til at konkludere med solid og omsorgsfuld opbakning fra vores nærmeste, at det nok bare er et hoved- og hjerteløst *rebound*.

10 smutveje, når lokummet brænder, og dit hjerte gør ondt

1 Luk øjnene, og træk vejret helt ned i maven 10 gange

2 Husk, at dæmonerne ikke kan lide frisk luft

3 Græd

4 Skriv dine tanker ned

5 Ring og fortæl nogen, hvordan du har det

6 Spis chokolade, og hør Bob Marley

7 Sig pyt. This, too, shall pass

8 Køb friske blomster. Eller endnu bedre: Pluk blomster

9 Se en god film, drøm dig lidt væk, snyd tiden

10 Tilgiv dig selv. Forgiveness makes you happy

Vores venner bliver enige om, at de nødvendige grundlæggende følelser næppe kan have fundet rodfæste så hurtigt i det nye forhold, og vi ræsonnerer os frem til hundrede forklaringer på, hvad det forhold baserer sig på. Men faktum

129

er, vi ikke ved det, det vedkommer ikke os, og det har ikke noget med os at gøre. Og hvad skal vi bruge det til? At slå os selv i hovedet? Han – eller hun – er forelsket, og vi er jaloux, sårede og ville ønske, at det var os. Av!

Når en ekskæreste rykker videre, kan vi vende det om og prøve at se det som en gave. Ekskærestens erklærede kærlighed til en ny kvinde sætter nemlig mig fri. Frygten fordamper umiddelbart efter, for nu ér det virkelighed, og virkeligheden er meget lettere at forholde sig til end fantasien.

I øvrigt er det interessant at tænke på, at jeg sagtens kan se, hvad der skal blive af de af mine venner, som indimellem bliver ramt af kærestesorg og den efterfølgende 'hvad skal der blive af mig'-følelse. Der skal blive tusinde fantastiske ting ud af deres gøren og laden og liv. Kun når jeg selv står i en lignende situation, kan jeg ikke se det klare billede.

Det sjove er, at de har det på nøjagtigt samme måde. De kan tydeligt se, hvad der skal blive af mig, men ikke af dem selv. Sådan er det for os alle sammen, så det gælder om at tage en tur op i helikopteren en gang imellem for at få klarsyn.

Min datingprofil

Hvis man er single og har lyst til at få en kæreste, nytter det ikke at gå og putte sig derhjemme. Man må ud, hvor livet leves, fortælle til højre og venstre at man er 'på jagt', gå i byen, flirte på gaden, være opsøgende. En kærlighedskriger.

Ligesom når vi ønsker at skifte arbejde. Så holder vi øje med stillingsopslag, vi fortæller vores netværk, at vi er klar til at skifte stilling, vi ringer til virksomhedsledere, vi skriver ansøgninger og en hel masse andre ting, der skal give os det, vi vil have: et job.

Da jeg ejer Runningdinner.dk og er kærlighedsminister i DR/P4's 'Så har vi balladen', bliver jeg tit spurgt af medierne om, hvordan man skriver den bedste profiltekst til et datingsite.

Jeg kan bedst lide, at man mødes ansigt til ansigt – ude i virkeligheden, men skal du skrive en profiltekst, er mit bedste råd, at du fikser alt det, du gerne vil lyve om eller forsøge at skjule i en datingprofil, før du overhovedet opretter en. Og så bliver du nødt til at være dig selv. Helt ærlig.

Det her ville jeg skrive:

Ensom dame 40 år, lille og buttet, med mørkt og krøllet hår

Nej, o.k. Jeg er ikke ensom. Jeg er taknemmelig for alle de skønne mennesker, jeg er omgivet af i mit liv. Jeg er også blond, uden krøller, mit hår er fladt som en pandekage. Det er faktisk længe siden, jeg har været sådan rigtigt lille. 180 cm tilsat stiletter giver et vist overblik. Jeg er heller ikke buttet (længere), jeg har lukket kæften og lettet røven med gode resultater, og jeg er ærligt talt vældig glad for min nye krop, derfor kan det undre mig en del, at jeg ikke deler den med nogen?

Jeg er totalt på toppen over at være 40 år. Jeg nyder at være mig. Meget endda.

Jeg nyder min hule med mine unger. Hulen har jeg placeret i Københavns afsindigt belastede Nordvest-kvarter. Jeg havde en ideologisk fase for seks år siden, hvor jeg kortvarigt troede jeg kunne redde integrationen i Danmark egenhændigt. Det kunne jeg ikke. Det var ikke første gang, jeg fik storhedsvanvid, det er nok heller ikke sidste.

Jeg er ikke ideologisk på Johanne-måden, nej nej – jeg stemmer på Uffe. Eller Asger.

Det der med at lukke kæften, det passer ikke helt, for jeg råber en del op. Om alt muligt, der interesserer mig, også om det, der ikke interesserer mig, gerne uden forudgående kendskab til emnet. Pyt.

Jeg begyndte at tale som etårig og er aldrig stoppet igen. Jeg er heldigvis så god til at tale, at jeg lever godt af det. Det er et held, for jeg blev smidt ud af skolen. Men tænk engang, nu betaler skolerne mig for at komme og forelæse. Det kan jeg godt lide. Hvis du får pip af smalltalk og big talk, må du hellere stå af her.

Jeg kan godt lide at rejse. Jeg vil både til Langtbortistan og hen, hvor peberet gror. Jeg vil endda op på det der ishotel. De fleste af mine indtægter de sidste 20 år har jeg investeret i flyselskaber (Læs: flybilletter). Det viser sig faktisk, at jeg godt kan sove i telt! Det er nyt for mig. Test mig. Bål er maskulint. Mand skaffer føde med egne hænder – meget maskulint. Mand redder kvinde fra afskyelig snemand – afsindigt meget maskulint.

Min mor siger, at jeg er en popcornmaskine med et ekstra gear. Jeg forstår godt, hvad hun mener.

Jeg har 13 børn med 17 forskellige mænd. Jeg valgte at gøre sådan, fordi jeg elsker at netværke. På den måde har jeg infiltreret mange familier helt ud i flere generationer. Smart! En af dem havde en mor, som serverede makrelrand. Altså pisket makrel tilsat husblas. Det forhold holdt ikke. Men derfor var der jo ikke nogen grund til ikke at få et barn med ham.

Og så er der jo faktisk kun to. Benjamin på 13 og Kamille på fem. Men de har hver sin far. Der skal nok en V-I-R-K-E-L-I-G charmerende mand (med afsindigt gode gener) til, før jeg kaster mig ud i tredje omgang med barnevogn. Så, hvis du har babyer i øjnene, skal du nok stå af her. Det bliver ren Lisbeth Dahl. Det var aldrig min plan. Det blev sådan. Jeg har tilgivet mig. Børnene virker normale.

Mine børn fylder meget, min søn er for eksempel allerede højere end mig. De er opdraget med lige dele humor, militærdisciplin og anarki. Jeg bryder mig ikke om curlingbørn, mine er mere sådan en slags bowlingbørn: Ud i keglerne (livet) med dem, så står jeg klar med plaster og kærlighed, når de bliver væltet omkuld. Faktisk kan de godt holde bøtte og sove på kommando, men som regel vil jeg hellere sludre med dem. Jeg har før skreget helt sindssygt ad dem. Og sagt undskyld.

Mine børn kommer før alt – også dig. Men når de ikke er hjemme, kommer du først. Eller vi kan komme samtidig. Det er altid smukt.

Jeg elsker at forskrække folk, og synes, at det er skidesjovt at kaste koldt vand i hovedet på nogen, som er i karbad. Eller gemme sig i en elevator og vente på, at nogen kalder den ned.

Tjeklister er en pest, men der er mange ting, som skal passe sammen, før kærligheden ryger gennem taget. Jeg har for eksempel svært ved at forestille mig, at jeg falder for en mand, som ikke er læsset med selvironi, humor, karisma, livsmod, charme, handlekraft og intelligens. En, som ikke er i stand til at elske mig herfra til evigheden og op ad væggen på en god dag.

Jeg er røghader. Rygeloven her i landet er for slap. Jeg har defineret min egen nul-tolerance-rygelov: Det er megaklamt at ryge. Hvis du ryger, sætter jeg dig af her. Jeg stryger ikke. Jeg støvsuger ikke. Jeg laver god mad. Tit. Jeg er ret rigid, når det kommer til økologi, og betaler gerne 80 kroner for 100 gram salt i en smuk emballage. Det er dumt, men jeg elsker det.

Hvad dælen? Er du her endnu? Hvad vil du gøre ved det? Jeg elsker mænd med handlekraft og initiativ ...

Inspireret af Tove Ditlevsens digt 'Der er to mænd i verden' har jeg skrevet min egen version:

**Der er 10 mænd i verden, som bestandigt kryd-
ser min vej**

En kom to år før mig. Han har altid været der og skal
altid være der, for han kom først. Han er mit billede
af den perfekte mand med sunde værdier. Han giver
drømmen næring. Han kan alt. Han passer på sig selv,
familien og alt. Jeg elsker ham højt.

En lærte mig alt. Udfordrede mig, tog mig til sig.
Han bygger huse, skyder dyr, skruer biler sammen
og fælder juletræer. De bliver ikke lavet mere. Jeg
elsker ham højt.

En er far til mit barn. Dem er der faktisk to af. De
har gjort mig meget godt. Og jeg husker på, at jeg
valgte dem selv, og at der altid skal være en stor plads
til dem.

En har knald i låget. Får mig altid til at grine, passer
på mig. Han er klog og lækker, men for mig er han
mest af alt sjov. Han er altid den første, som dukker
op – når det gør ondt, ringer han på døren. Bare jeg
skriver om ham, smiler jeg. Min bedste ven.

En er beviset på og trygheden for, at ægteskabet som
institution skal bevares. Om end det ikke er mit æg-
teskab, så føles det så trygt. Jeg har et par stykker i
mit liv, som kan deles om den plads.

En til har knald i låget. Det er sundt. Han har det på en mere sårbar måde. Jeg glæder mig til at lære ham bedre at kende. Han får mig til at grine. Hans glimt i øjet smitter. Vi danser.

En hedder Leonard Cohen, og han giver mig alt. Jeg lytter og lytter og bliver ved med at lære. Vi har fulgtes ad i 30 år, og jeg går hele vejen med ham. Du må gerne lytte med.

En hænger mine billeder op. Fikser et filter, skifter en pære. Han kan også lave mad, og min veninde var klogheldig, da hun gaflede ham. Jeg låner ham, når der skal bores og skrues. Glæder mig med dem.

En kommer, hvis man kalder. Han kan hjælpe med praktiske ting af en helt anden kaliber. Det bliver nok aldrig til mere end det.

En kan få mig til at grine, så tårerne triller. Han kan stille spørgsmål, så min hjerne kommer på overarbejde. Han er styrke og sårbarhed på én gang. Jeg lærer meget og forstår mere i hans selskab.

Enhver kvinde står mellem disse ti, forelsket, elsket og ren, en gang hvert hundrede år kan det ske, at de smelter sammen til en.

Dette skrev jeg, efter jeg besluttede at stoppe forholdet til min seneste kæreste:

»Jeg har været igennem en meget svær beslutningsproces. Det gør ondt at vælge noget fantastisk fra. Jeg kender mange mennesker, som kan stå i stampe i afsindigt lang tid – lammede af manglende handlekraft.

Det er et hårdt sted at stå. Man er ikke lykkelig, man er nogenlunde. Og for at komme fra nogenlunde mod lykkelig, skal man gennem uvisheden. Og uvisheden er helvedet på jord. Derfor kan tilstanden nogenlunde forblinde os. Der har jeg stået længe. I et parforhold med en mand, jeg elskede passioneret, men med en voksende frustration og forståelse af, at vi nok aldrig kommer til at ville det samme med livet. At vi uden at ville det ofte bliver en forhindring for hinanden.

Det tog jeg konsekvensen af for tre uger siden, og det har været et skræmmende frit fald. Jeg mistede omgående appetitten (aldrig sket før), enten kunne jeg slet ikke vågne, eller også var det umuligt at falde i søvn – begge dele selvfølgelig på de forkerte tidspunkter.

Alle bekymringerne væltede ind over mig og sendte mig til tælling. Var det den rigtige beslutning? Havde jeg kæmpet nok? Kunne jeg have gjort mere? Min hjerne har kørt i heftige cirkler i et meget lille loop. Min hjerterytme er et studie i sig selv.

Og savnet. Savnet har været det værste. Jeg mistede ikke kun min kæreste, men også trygheden, duften, smagen, nærheden og alle de gode ting. Især mistede jeg den daglige adgang til min bedste ven. Savnet forstyrrer mit kompas. I desperat savn er det umuligt at holde et begavet fokus. Savnet trækker mig i den forkerte retning. Find ham. Hent ham. Ring ham. Smag

137

ham. Savnet er ikke særlig sagligt, savnet er tryghedsnarko-man. I desperat savn er jeg som en narkoman på jagt efter næste kortsigtede fix.

I hælene på savnet kommer frygten. Hvad skal der blive af mig? Kan jeg nogensinde få det, jeg virkelig drømmer om? Bliver jeg ensom? Er jeg total urealistisk i mine forventninger til livet? Hvad var min andel, og hvad er min lærdom? Og så videre og så videre og så videre. Og så forfra igen. Til man har lyst til at slå hovedet ind i væggen.

Jeg har haft et pejlemærke, som hed: 'Alle gør det bedste, de formår i enhver given situation. Tilgiv, også dig selv. Fortiden kan ikke ændres. Fremtiden kan ikke spås. Vær kun i nuet'. Det har hjulpet mig meget. Og yoga. Og veninder. Og min mor. Åh gud, hvad skulle man gøre uden disse kvinder?

Jeg fandt handlekraften til at tage ansvar for min situation og mit liv. Jeg tog ansvar, og det er jeg stolt af. Jeg trådte i karakter og tog en svær beslutning om aldrig at ville nøjes. Jeg valgte noget fantastisk fra i håbet om at give plads til noget bedre. Det er min styrke og min akilleshæl.

Jeg møder mange, som står i samme eller tilsvarende situation som mig, som ikke er i stand til at mobilisere den nødvendige handlekraft. De spørger alle sammen 'Hvordan turde du?' og 'Er du sikker på, at det var det rigtige at gøre?' Og for høvlen altså, jeg turde næsten heller ikke, men jeg turde heller ikke lade være. Og nej, jeg er ikke sikker, jeg er i konstant tvivl. Det er jo derfor, jeg har lidt så meget i processen. Men jeg kan skimte noget bedre forude, og jeg skal bare holde kursen.

I morges vågnede jeg endelig med lidt ro i min krop, mit hjerte og min hjerne. Puha, jeg håber den bliver lidt. Roen.

Jeg giver dig lige mit billede af beslutningens smerte:

Du står i en mark af brændenælder. Du løfter den ene fod for at undgå at brænde dig, men brænder selvfølgelig den anden fod imens. Den bærende fod bliver træt, og du bliver nødt til at skifte fod. Nu brænder du dig igen, og det er temmelig frustrerende for dig. Du kan blive stående, så længe du vil, og brænde dig lidt hele tiden. Hver eneste gang du skifter fod, brænder du dig lidt.

Alternativet er at begynde at gå gennem brændenælderne, trampe derudad, men det gør rigtig nas. Nu er det ikke kun fødderne, du brænder. Du brænder dig overalt og konstant. Indtil du pludselig står på en smuk græs-eng, og brændenældemarken er bag dig.

Jeg kan endelig skimte udgangen på min brændenældemark. Jeg ved, at jeg bliver o.k. Jeg ved, at kærligheden og lykken venter forude, og jeg ønsker dig en god tur, hvis du skal gennem det samme. Du skal vide, at jeg har gået denne seje vej et par gange, og det betaler sig altid.«

> Der er en stor frihed i at få forløst sin største frygt.

KAPITEL 13

PAS GODT PÅ DIG SELV

Den mest dyrebare lektie af dem alle. Den sværeste balancegang i mit liv. Jeg har svigtet mig selv. Jeg har forsømt min krop. Jeg har levet usundt. Jeg har budt min krop meget, men nu har jeg taget ansvar. Jeg er sund og stærk. Jeg under alle at være gode venner med deres krop.

Det største og mest grelle eksempel på kollektiv sindssyge i den vestlige verden er livsstilssygdommen fedme. En kæmpestor procentdel af danskerne har ikke knækket kost- og motionskoden, og i årevis var jeg selv ude af stand til at styre min kost og min motion. Jeg lykkedes endda med at bilde mig selv ind, at det var o.k. for mig at være overvægtig, og at jeg var glad, som jeg var. At jeg havde styr på det.

I lange perioder var jeg den tykke, glade pige. Indtil jeg turde indrømme, at jeg var den tykke, men ikke særligt glade pige, der levede i total fornægtelse af, hvordan jeg så ud.

Turde jeg stå foran spejlet nøgen uden at trække maven ind og virkelig se på mig selv og mærke helt efter 'Hvordan har du det lige nu, Michelle. Hvad ser du?' Gu gjorde jeg da ej.

Min geniale løsning blev ikke at eje en vægt, ikke at have et stort spejl og især gentage mit mantra, som forhindrede mig i det totale styrt: 'Det er det indre, som tæller'.

Men det var løgn. Jeg var ked af det. Jeg kunne finde på at sige nej til at mødes med mennesker, jeg holdt af, fordi jeg ikke vidste, hvad jeg skulle tage på, eller fordi jeg ikke følte mig godt tilpas i min krop. Så bildte jeg mig selv ind, at jeg hellere ville være derhjemme. At jeg i virkeligheden slet ikke havde lyst til at gå ud. Men det var en stor løgn.

Ingen mennesker i verden har nogensinde sat sig som mål at blive overvægtige. Med undtagelse måske af japanske sumobrydere. For alle andre var det noget, som bare skete. Det var ikke et bevidst valg. Det var noget, som ramte os.

Nu forholder vi os så til det på forskellige måder. Vi lider under det. Vi accepterer, at det er sket. Vi kæmper med det. Men det er sørgeligt, for det var aldrig et mål i sig selv. Og det handler ikke om udseende. Det handler om livskvalitet og velvære. Det med udseendet er en bonus.

Jeg har kæmpet med vægten længe. Til sidst tilsluttede jeg en ekstern hardisk, en personlig træner. En, som kunne tilføre den viden og forståelse, som jeg ikke selv var i stand til at implementere. Jeg kravlede op med Krisztina Maria, personlig træner, i hånden. Jeg blev ved med at lade hendes ord trænge ind i mit hoved og efterhånden ned i kroppen. Som de fleste andre ved jeg det hele i teorien, men tilsyneladende er det uendelig svært at koble teori og praksis.

Det er svært at bryde sine vaner, men jeg har gjort det. Det er lykkedes. Du kan også.

Jeg kan nu sige med stor selvtilfredshed: 'Jeg er gode venner med min krop'. For første gang i 15 år. Når jeg vågner om morgenen og strækker mig, kan jeg mærke hver en muskel. Jeg kan mærke mig selv, og det føles dejligt. Jeg føler mig stærk og sund. Jeg kigger på mine ben og bliver glad. Min datter spørger, hvorfor jeg aldrig går i kjole mere. Fordi jeg vil vise mine ben.

Før i tiden lyttede jeg ikke til min krop. Jeg spiste nærmest for en sikkerheds skyld uden at mærke efter, om jeg var sulten, tørstig eller bare træt. Da jeg var i et ægteskab, som ikke var godt for mig, fandt jeg ud af, at chokolade smager godt. Og meget chokolade smager endnu bedre. Jeg tog 25 kg på uden at vide det. Jeg spiste bare lige så langsomt, og pludselig var jeg svulmet op.

Det kunne have været rart, hvis jeg forstod det noget før – at kroppen er så vigtig. Jeg tror nemlig ikke på, at man helt kan stifte fred oppe i hovedet, hvis man glemmer kroppen, og jeg er stolt af, at jeg har brudt mine gamle vaner.

Et af mit livs største åbenbaringer har været, da jeg endelig kom hjem i min egen krop. Da jeg tillod mig selv at blive sund og stærk.

Mange kvinder, mig selv inklusive, taler så grimt til sig selv, at vi ville holde os for ørene og skrige, hvis vi spillede den indre monolog højt på et anlæg. Hvis et andet menneske talte sådan til os, ville vi omgående fjerne os fra det menneske. Vi genspiller det samme indre bånd på uendeligt og formår alligevel ikke at tilføre ordene nogen handlekraft. Det er kollektiv sindssyge. Jeg har haft en hovedrolle i det spil i 20 ud af 40 år. Jeg var ikke glad for rollen, men spillede den alligevel til perfektion. Ubevidst.

Jeg ville nok have svoret på, i de fleste faser af mit liv, at jeg mærkede mig selv. At jeg ikke var afhængig af *quick fixes* som shopping, gæster og chokolade. Mine tre favoritter, for ting er smukke, og selvfølgelig bliver man glad for et par nye sko. Gæster er skønne, fordi de larmer, og mit fokus flytter sig fra mig til dem. Og chokolade smager bare godt, så kan jeg da kortvarigt glæde sanserne.

Mange steder i mit liv har jeg været dygtig til at turde gøre noget andet, end jeg plejer. På andre områder har det været nærmest umuligt. Et af de helt svære har været at finde balancen mellem min hjerne og min krop.

Søvn, tørst, mad og motion. En stor gåde. Og sådan er det vel for de fleste, jeg kender. Jeg kunne ikke finde ud af det. Jeg blev ved med at gøre, som jeg altid har gjort, og sørge over resultatet. For igen at gøre, som jeg plejer, og være frustreret over resultatet. Og når jeg kigger ud over det ganske land, så er det de færreste, der har knækket koden til vores helt basale behov: søvn, vand, mad og motion. Min påstand er, at resultatet af netop den fornægtelse fylder allermest i vores bevidsthed.

Vi ved det godt. Vi skal spise sundt. Vi skal bevæge os. Vi skal sove. Vi skal drikke vand. Men langt de fleste kan ikke finde ud af det. Jeg var en af dem. Jeg har været uvenner med min krop. Jeg har kørt kemisk krig, psykologisk terror og udmattelsesteknik på min egen krop. Og lidt gevaldigt under det. Man skulle ellers tro, at vi var en enhed, min krop og mit hoved. Sandheden er, at vi først nu er ved at indgå en sund alliance.

Og alle spørger, som kiloene rasler af, og jeg tilsyneladende bliver yngre og yngre (at se på): Hvordan gør du? Og det er på en og samme tid et relevant og latterligt spørgsmål.

For jeg kan godt forstå, at de, som er i krig med dem selv, gerne vil vide det, men når det alligevel er et tåbeligt spørgsmål, så er det, fordi alle i dagens Danmark kender svaret. Svaret er: Jeg lukkede kæften og lettede røven. So simple. Jeg indtager færre kalorier, end jeg forbrænder. Slut.

Det, der er interessant, er, hvor jeg fandt motivationen til at gøre det, og hvordan jeg finder motivationen til at fortsætte. Hver eneste dag. Resten af mit liv.

Jeg ved selvfølgelig ikke, hvordan jeg ville se ud nu, hvis jeg ikke havde haft en personlig træner, men jeg tror, at det var et genitræk at erkende, at jeg ikke kunne selv og derfor måtte tage Krisztina i hånden. Og ja, det koster mange penge med en personlig træner. Næsten alle, jeg har talt med omkring det her emne, rammer muren allerede der: 'Det har jeg ikke råd til'.

Men det passer i ni ud af ti tilfælde ikke. Hvor mange penge bruger du hver måned på slik, cigaretter, rødvin, taxa, tøj, biograf osv. osv.? Langt de fleste kunne, hvis de virkelig ville,

145

godt få råd til at se en personlig træner et par gange om måneden i en periode. Og alle ved, at det er en god investering. Sandheden er, at langt de fleste sunde mennesker ser godt ud, uanset hvad de har iført sig, men at usunde mennesker sjældent stråler, uanset hvad de har iført sig.

Jeg ved godt, at jeg bevæger mig ud i farligt terræn her. Det er blevet politisk korrekt at sige: 'Det er det indre, som tæller'. Og selvfølgelig er det det. Men følelsen i dit indre går hånd i hånd med din fysik.

Kære krop. Jeg svigter dig aldrig igen.

Citater om træning, som appellerer til mig:

♦ Stemmen i dit hoved, som siger, at du ikke kan, lyver
♦ The body achieves what the mind believes
♦ I går sagde du også i morgen. Gør det i dag.

Hvad der motiverer mig til at passe på min krop

1

Jeg vil gerne leve en god, sund alderdom. Jeg vil gerne kunne rejse rundt i verden, når jeg er 80 år. I Indien vandrede jeg engang en temmelig strabadserende tur langs med en flod, ned til den smukkeste naturlige pool mellem klipperne. Her kunne jeg springe i vandet fra en fire meter høj klippe og bade med udsigten til mango- og papayatræer. Det er noget af det mest fantastiske, jeg nogensinde har oplevet.

Mens jeg ligger der og plasker rundt i vandet, kommer en gammel kvinde gående, smider sin sari og hopper i vandet. Det viser sig, at hun er dansk. Hun er 80 år gammel og på rundrejse i Indien. Jeg er bjergtaget. Hun er den sejeste 80-årige kvinde, jeg nogensinde har talt med. Når jeg bliver 80 år, vil jeg også vandre spændende steder i verden og opleve, så jeg spurgte hende, hvad hendes hemmelighed var. Hun var meget beskeden, men det jeg fik ud af hende, var, at hun gennem hele sit liv, vedholdende og uden overspringshandlinger, havde passet sin gymnastik. Hun havde altid været fysisk aktiv. Hun passede på sig selv. Dét motiverer mig.

2

Jeg kan godt lide at være sexet. Jeg elsker smukt lingeri. Jeg elsker at forføre min kæreste (når jeg har en). Jeg elsker elskov. Jeg elsker at udforske og blive udforsket af en mand. Det er noget af det vigtigste i mit liv. I de perioder af mit liv, hvor jeg har passet godt på mig selv, hvor jeg er gode venner med min krop, fortrolig med min krop, stolt af mit udseende – i de perioder kan jeg skrue helt op for det spil. Jeg flirter mere. Danser mere. Er mere nedringet. Når jeg føler mig sund og stærk, er jeg allermest feminin.

På trods af, at det er noget af det vigtigste i mit liv, har jeg svigtet det tit. I lange perioder har jeg lukket helt ned for den del af mig selv. Og savnet mig. Savnet den forførende mig. Savnet den sexede mig. Men sat mig handlingslammet i sofaen og spist en skål slik, været i total fornægtelse af, hvad den sexede og forførende Michelle havde lyst til lige nu.

147

Jeg tillader aldrig, at det sker igen. Tre ugentlige løbeture er en lille pris at betale for et svedigt sexliv. Jeg ved også, at havde jeg læst det, jeg lige selv har skrevet, for et år siden, så ville jeg have lænet mig tilbage og tænkt: 'Pyha, godt det ikke er mig, jeg har heldigvis et godt sexliv'. Fornægtelse er smart, så længe det virker. Nu priser jeg mig lykkelig for, at jeg turde se sandheden i øjnene. Jeg føler mig bedre tilpas i min krop, når den er sund og stærk. Selvfølgelig gør jeg det. Det motiverer mig.

3

Jeg hørte engang Mads og Monopolet. Dilemmaet var noget a la: 'Ville du forsøge at tale en parkeringsvagt fra at give en bøde til en ulovligt parkeret bil, hvis du vidste, at ejeren af bilen bare lige var løbet 100 meter væk for hurtigt at hente noget?'. Man skulle forestille sig, at man sad på en cafe udenfor, en bil bliver parkeret og chaufføren siger: 'Ja, jeg ved godt jeg holder ulovligt, jeg er tilbage om tre minutter, jeg skal lige hente noget' – og så kommer P-vagten.

Blander du dig, eller blander du dig udenom? Panelet svarede, men det eneste, jeg hørte, var Asger Aamund. Og jeg har genhørt det i mit indre øre tusinde gange siden. Når jeg skal motivere mig til den sidste spurt, de dage, hvor jeg ikke lige gider snøre skoene, når jeg overvejer at blive under dynen, så genspiller jeg Asgers svar inde i mit hoved. Han sagde (frit efter hukommelsen): 'Hvis bilisten, som bad mig om hjælp, var en smuk og lækker dame, så sørgede jeg for, at hun ikke fik den bøde.'

Ups. Det er det indre, der tæller, ja, men 99,99 procent af alle de mennesker, du møder på din vej, får aldrig adgang til at tale med dig eller lære dig at kende. De vurderer dig udelukkende på, hvordan du fremtoner i første hug, og lige der er det kun dit udseende, som tæller. Bum.

Jeg beklager, hvis læsningen ikke behager, men det er sandheden. Og det motiverer mig.

4

Tøj motiverer mig. Jeg kan godt lide lækkert tøj. At kunne købe nyt lækkert tøj, som sidder, som det skal. Det motiverer mig.

5

Mine børn er nok dem, som motiverer mig mest. Når de ser, at træning og sundhed er en naturlig del af vores liv, så føler jeg, at jeg giver dem et godt system med hjemmefra. Til at passe på sig selv og sin krop. Så de kan leve et godt liv i harmoni med maskineriet, som skal bære dem gennem livet. Det motiverer mig.

Jeg tillader aldrig igen, at min krop bliver mit fængsel. Min krop er det vigtigste, jeg har. Den bærer mit liv, mine drømme, mine oplevelser, min seksualitet. Jeg havde aldrig knækket den kode alene. Jeg holder stadig Krisztina i hånden. Det bliver jeg ved med, til jeg er helt sikker på, at jeg kan selv.

Jeg har endelig fattet, at vedholdenhed er den største udfordring. Altså at fortsætte. Og fortsætte. Resten af mit liv. Så jeg som 80-årig kan vandre rundt i Indien, ligesom den dame, jeg mødte dernede.

Alle kan gøre det samme som mig. Du kan gøre det. Jeg håber, du gør det. Og hvis du har svært ved at gøre det selv, ligesom jeg havde, så prøv en personlig træner.

Hvis valget står mellem 14 dages ferie eller fire måneder i fitnesscenteret med en personlig træner, så drop den ferie. Prøv at se på det i helikopterperspektiv: Et helt liv i en krop, du ikke er gode venner med, for 14 dage på en skøn ferie. Hvad vælger du?

Dette kapitel er dedikeret til Krisztina Maria, som holdt mig i hånden og aldrig gav slip. Du lærte mig at ændre mit liv. Du hjalp mig med at indhente mig selv. Tak.

> Tre ugentlige løbeture er en lille pris at betale for et svedigt sexliv.

KAPITEL 14

HUSK AT GÅ UDENDØRS

Jeg har været en af dem, som burede mig inde. En af dem, som sagde »Det er ikke min påklædning, der er noget galt med. Det er vejret«. Men jeg tog fejl. Det er ikke meningen, vi skal være indenfor dagen lang. Vi skal ud. Mærke luften. Smage regnen. Husk: Dæmonerne kan ikke lide frisk luft. En lang tur i skoven er en smutvej til velvære.

Jeg har ligget i bushen i Kenya og kigget på stjernerne. Flere stjerner end min hjerne nogensinde vil kunne fatte. Knitrende, blinkende stjerner og smukke, eventyrlige stjerneskud.

Hver gang jeg ligger under stjernerne, sker der det samme: Jeg tænker på de andre gange i livet, hvor jeg har ligget og betragtet stjernerne. Hvor jeg var i mit liv? Var jeg glad? Hvordan så jeg mine muligheder på daværende tidspunkt?

Her er et lille klip fra nogle af de største stjernestunder i mit liv. Fra Danmark og udlandet. Som ung. Som voksen. I dag:

Jeg husker med et smil på læben, da jeg var på interrail i 1988 i Grækenland og pludselig lå meget forelsket på den unge uskyldige og naive måde på en campingplads i armene på en italiener, som jeg troede, skulle være min evige kærlighed. Nu kan jeg ikke huske, hvad han hedder. Skål.

Eller den sommer på Vejrø, hvor vi var en hel flok unge, som drak os fulde. Berusede og fjollede gik vi om natten udenfor, og jeg græd af grin, mens mændene (eller: drengene) forsøgte at tisse efter stjernerne. Det var så sjovt. Og virkelig, virkelig dumt.

Jeg har kigget på de stjerner fra bredden af slotssøen i Hillerød i 1991, iført en studenterhue, jeg ikke fortjente, men fyldt op med forventninger til fremtiden. Fri, ubekymret og leende.

Jeg har ligget alene i en have en sommernat ved Tisvilde, grådkvalt og gravid, fyldt op med bekymringer og kigget bange på de dumme stjerner.

Jeg har svømmet i land i stjerneskær, fra en båd ved Mallorca, ind til stranden, hvor min dejlige kæreste og jeg elskede under de smukkeste af alle stjerner. Ren lykkerus. Indtil det gik op for os, at vi ikke var alene.

Hvis du ikke går ud i natten, ser du ingen stjerner. Hvis du bare sidder og ser på dem fra dit vindue, tror jeg næppe, at de gør så stort indtryk. Det gælder helt bogstaveligt, og det gælder også i overført forstand: Ræk ud efter stjernerne.

Hvis du begynder at gå ud, går det.

Problemet med handlinger som at gå ud i naturen eller motionere er, at det tit kræver overskud. Når nogen opfører sig overskudsagtigt, kan man blive helt træt bare ved tanken. Men hele fidusen er jo, at de overskudshandlinger, vi foretager os, avler overskuddet til de næste overskudshandlinger.

Det er jo decideret til at brække sig over, når man sidder i sofaen og sidder fast. Der har jeg siddet i mange år. Helt fra jeg var barn, ville jeg hellere blive hjemme og lave frokost end gå tur med de andre i familien. Nu ved jeg, at det var en fejl.

Den hurtigste genvej til overskud er nemlig frisk luft. Dæmonerne og depressionerne kan ikke lide frisk luft. Når jeg taler med venner og veninder, der har kærestesorg, er det altid mit første råd: Gå en lang tur i skoven. Gå en lang tur ved vandet. Jeg har venner, som er hoppet med på en amerikansk trend, som går ud på at kramme træerne. Så langt er jeg ikke kommet endnu, men jeg er begyndt at overveje.

I regn og slud skal dæmonerne ud!

Jeg holder afsindigt meget af at gå udenfor og høre musik. Jeg er kommet til at elske det. Jeg er sikker på, at der er en eller anden kemisk forklaring på, hvorfor vi får det bedre. Det interesserer mig ikke, jeg ved bare, at det virker.

At finde glæden i de små ting er en genial genvej til lykke. Så sent som i går faldt jeg i svime over en gråspurv på min altan. Jeg fandt stor fornøjelse i at sidde og kigge på den. Og tænkte ved mig selv, man kan kæmpe imod i et helt liv, men en dag sidder man og forelsker sig i en gråspurv og er blevet til sin mor ...

I årevis var jeg på vej fra A til B, hvis jeg gik udenfor. Jeg glemte helt at falde i svime over alt det, som er lige foran næsen på mig. Nu er jeg meget bevidst om alt, hvad jeg ser. Jeg prøver at se dobbeltheden i alting. Hvis jeg går en aftentur på Nørrebro med min søn, har vi det afsindigt sjovt med at kommentere alt, hvad vi går forbi. For eksempel havde vores lokale grønthandler et skilt i sine jordbær med teksten 'Danske Røvbær, 2 bakker 20 kroner'.

Gå udenfor. Gå en tur i byen. Gå en tur over til naboen. Kast en sten i vandet. Slå smut. Sid på en bænk, og nyd en is. Se alt det, du ikke når at se, når du kun bruger det derude til at transportere dig selv.

Der er så fuld af sjov ude i en skov. Husker I den børnesang? Den har ret. Og der er så uendeligt fredfyldt og smukt. Hvornår har du sidst gået en lang tur i skoven helt alene? Hvis det er mere end 14 dage siden, så lad dette være min udfordring til dig. Det er helt simpelt. Luk bogen. Let røven. Snør skoene. Gå. God tur.

Den hurtigste genvej til over-
skud er frisk luft. Dæmonerne
og depressionerne kan ikke lide
frisk luft.

KAPITEL 15

LAD DIG IKKE STYRE AF PENGE

Grådighed har forårsaget virkelig dårlige valg i mit liv. Indtil jeg indså, at min lykkekurve agerer fuldstændig uafhængigt af min økonomiske kurve. At forstå dét giver en stor frihed. Grundlaget for at turde leve efter hjertet.

En af de største friheder, jeg har i mit liv, er, at jeg rimelig tidligt i mit liv både havde prøvet at tjene rigtig mange penge og været totalt på røven økonomisk. Af flere omgange endda.

Jeg er ikke noget stort økonomisk geni, min husleje er som udgangspunkt en uforudset udgift hver eneste måned. Jeg bruger penge, når jeg har dem, og når jeg ikke har flere, forsøger jeg at tjene nogle.

Inden jeg var 25 år gammel, havde jeg både prøvet at være 'big spender' med masser af penge på kontoen, og jeg havde haft mit første besøg af fogeden. En dag, Benjamin og jeg kom hjem, stod han uden for min dør og spurgte: 'Er du Michelle Hviid?'. Jeg fik et stik i hjertet, men inviterede ham ind på en kop te. Jeg fortalte ham, hvordan det stod til lige nu, men at jeg kunne se lys for enden af tunnelen, og han gik heldigvis igen uden at tage noget med sig.

Den vigtige læring for mig er, at i den periode, hvor jeg havde flest penge, var jeg på toppen af succes, men på bunden af lykken. Jeg var velhavende, men decideret miserabel, og jeg havde mistet mig selv, så derfor ved jeg med 100 procents sikkerhed, at min lykke ikke er afhængig af min økonomi. Min lykke ligger inde i mig.

Jeg har haft lange lykkelige perioder uden en klink. Jeg lærte tidligt i mit liv, at min lykkekurve *ikke* følger min økonomiske kurve. Det er en stor frihed. Det betyder, at jeg ikke er så bange for at tage vilde beslutninger, som i værste fald belaster min økonomi. Det skræmmer mig ikke voldsomt. Jeg ved, at jeg kan have et godt liv alligevel.

Det er desværre en af de påstande, som kan være rigtig svære at overbevise andre mennesker om. Jeg får tit skudt i skoene, at det er nemt for mig at sige, fordi jeg lever et privilegeret liv. Min påstand er, at det netop er, fordi jeg har levet modigt, at mit liv nu er så privilegeret.

Da jeg sagde mit arbejde op uden at have et andet arbejde, uden at have en uddannelse, uden en krone i banken, anede jeg ikke, hvad der skulle blive af mig. Jeg var meget bevidst om, at jeg var nogens mor, men jeg tog en beslutning om, at det var vigtigere for mig at være et godt forbillede for mine børn, end det var at være en sikker forsørger.

Så jeg stod af. Jeg havde kun 2.000 kroner i kontanter og havde ikke betalt husleje i tre måneder. Jeg var på spanden i tiende potens, men jeg besluttede den dag, at jeg hellere ville være fattig og glad. At det så siden hen skulle gå mig godt, vidste jeg ikke noget om på det tidspunkt. Jeg kan ikke spå, men jeg var villig til at tage konsekvensen. Måske derfor gik det mig så godt?

Fordi jeg valgte at leve så autentisk som overhovedet muligt. Så tro mod mig selv. Afsindigt angstprovokerende.

Jeg kender en kvinde, eller det vil sige, jeg har mødt hende en gang, alligevel holder jeg af hende. Andrea. Hun er flyttet op i skoven i Sverige med sine unger. Og lever af ... ingenting.

Hun hev stikket ud. Søgte tilbage til rødderne. Slog sig ned i Sverige med mand og tre børn. Hun fascinerede mig, længe inden hun flyttede op i skoven, på grund af hendes ærlige tilgang til sit liv, som jeg følger hende på Facebook. Jeg snylter på hendes livsmod. Beundrer hende for at turde.

Alle har et valg. Altid. Spørgsmålet er, hvad vi prioriterer. Og hvor dygtige vi er til at integrere glæden i vores liv.

Dengang jeg boede alene med min søn, og det knap nok løb rundt, fandt vi på de sjoveste lege ved aftensmaden. Nogle gange sagde jeg til Benjamin, at det ikke er pænt at bande, men at bandeordene kan hobe sig op indeni, derfor er det vigtigt nogle gange at tømme dem ud.

161

Så fik han lov at sige alle de frække ord, han kunne. Han græd af grin: 'Numse, prut, fis, rotte, røv!' Jeg morede mig lige så meget som ham – især over, hvor uskyldig og skøn han var. Det kostede ingenting. Men det var fantastisk. Nu leger Benjamin og jeg samme leg med Kamille. Og græder af grin.

Vi legede også 'Velkommen til Omvendtslev, stedet hvor alt gøres omvendt'. Så spiste vi is til aftensmad og frikadeller til dessert. Sad på gulvet under bordet og fyldte maden i kopper. Drak mælken med skeer af skåle og spildte overalt. Og grinede. Det kostede ingenting. Men det var fantastisk.

Til Benjamins fireårs fødselsdag ville jeg så gerne give ham en god fest for børnehaven. Jeg havde ingen penge, men fandt på at købe to kilo upoppede popcorn.

Så placerede jeg alle børnene på gulvet i køkkenet og poppede popcornene uden låg på gryden. Det kostede 20 kroner, og det var mere end fantastisk! Benjamin glemmer det aldrig, og vi fandt popcorn mærkelige steder flere år efter. (OBS: Brug IKKE olie i gryden, så bliver popcornene for varme og brænder, når de regner ned på børnene.)

Jeg får tit skudt i skoene, at det er nemt for mig at sige, fordi jeg lever et privilegeret liv. Min påstand er, at det netop er, fordi jeg har levet modigt, at mit liv nu er så privilegeret.

KAPITEL 16

LAD DIG IKKE BEGRÆNSE

Glem janteloven. Nogle mennesker vil bevidst og ubevidst forsøge at holde dig nede. Men det behøver du ikke lade dig begrænse af.

Mit hoved kan være lidt af en ustruktureret motorvej af ideer. Jeg sorterer ubevidst de fleste fra hurtigt. Men enkelte ideer er standhaftige. De kan virke som små, opmærksomhedskrævende børn, der hiver mig i buksebenet. De forsvinder ikke, før jeg har taget mig af dem.

Desværre er alt for mange mennesker trænet efter automatoverbevisninger som 'Det kan ikke lade sig gøre', 'Tag det sikre valg' og 'Sådan har vi aldrig gjort før'.

Den sidste er min personlige favorit blandt alle dumme kommentarer i verden. For hvordan skal vi kunne udvikle os, hvis vi rettede os efter det ævl? 'Sådan har vi aldrig gjort før' – nej, og derfor prøver vi det så nu!

Det koster efter min mening samfundet meget, at vi ikke er dygtigere til at bakke hinandens ideer op. Hvis flere turde handle på deres ideer, ville alt blive meget sjovere og mere farverigt. Og måske ville landet også opleve større vækst. Det tror jeg.

Hvad enten du har en ide til din arbejdsplads, en ide til dit parforhold, en ide til en ferie eller en drøm om at blive selvstændig, vil jeg råde dig til at gå efter den. Hvordan man får en ide ført ud i livet? Jeg ved ikke, hvordan du gør, men jeg kan fortælle, hvordan jeg selv har gjort:

Når jeg har en ide, som er så insisterende i mit hoved, at jeg vælger at handle på den, starter jeg med at præsentere den for mine omgivelser. Typisk vender jeg den med min mor.

Det er sjovt nok ikke så interessant, hvordan min mor forholder sig til det, jeg siger. Dels siger hun som regel, at det er genialt, bare fordi hun er min mor, dels består øvelsen hovedsageligt i at formulere ideen højt.

Denne første fase er for mange den, som kræver mest mod. For tænk, hvis omgivelserne ikke kan se, hvor genial ideen er. Synes de så, at jeg er latterlig? Frygten for at træde ud af fællesskabet i denne kritiske fase, at blive hånet eller latterliggjort, kan være skrækindjagende. Især (desværre) for kvinder.

Jeg har forklaret mange ideer til mennesker, som ikke forstod mig. Men i stedet for at dræbe ideen tænker jeg: 'De ved ikke, hvad jeg ved. For hvis de vidste, hvad jeg ved, så ville de forstå, hvad jeg forstår. Ergo har jeg ikke informeret og forklaret godt nok!'

Møgvigtig sætning – læs den igen: 'De ved ikke, hvad jeg ved. For hvis de vidste, hvad jeg ved, så ville de forstå, hvad jeg forstår. Ergo har jeg ikke informeret og forklaret godt nok!'

Så må jeg prøve igen. Jeg må tænke mig om. Skære til. Jeg må forberede mig bedre og spørge igen. Hvis de stadig ikke forstår det femte gang, så er de nok dumme. Så spørger jeg bare en anden. For hvis jeg synes, det er en god ide, så er der helt 100 procent sikkert andre i verden, som også synes det er en god ide. Så må jeg skynde mig at finde dem.

Jeg tænker aldrig, at min ide er en dårlig ide. Det kan dog godt vise sig senere i processen, at ideen var elendig. Men for det første forventer jeg sjældent perfektion. Jeg er ikke særlig perfektionistisk. Jeg kan simpelthen ikke se fidusen i perfektionisme. Der kommer aldrig en perfekt dag.

Hvis du venter på en solskinsdag, som er en mandag, gerne den første i en måned, hvor børnene er helt raske, dit parforhold kører perfekt, du har sparet op til krisetid, og dit hår sidder som en drøm, så er mit bud, at du nok aldrig kommer fra start. Den dag kommer aldrig.

Den perfekte dag er i dag. Lige nu. Så gør det. Og skulle det vise sig, at det var en lorteide, så har du fået fred. Ideen kører ikke længere i cirkler. I øvrigt vil langt de fleste beundre dig mere for at prøve og fejle end for aldrig at turde. Hvad tænker du selv om en ven, som har taget en kæmpe chance og fejlet? De fleste har endeløs respekt for mennesker med mod.

167

Jeg er modstander af at kalde det fejlslået, bare fordi det ikke lykkedes, som man forestillede sig i den oprindelige form. Der er altid en succeshistorie i nedturen. Der er altid en lektie at lære. Du er altid blevet klogere. Der er altid en succes at finde i nederlaget. Med de nye erfaringer er du klædt bedre på til næste forsøg.

Jeg har afprøvet mange ideer, som ikke blev det, jeg havde forestillet mig, men der kom altid et eller andet ud af det. Et nyt bekendtskab. En ny indsigt. Ny lærdom.

Her er tre eksempler på store opfindelser, som alle har det til fælles, at:

1 De har ændret verden

2 Opfinderne mødte modstand i deres samtid

3 Vi kan ikke forestille os en hverdag uden deres opfindelser.

Men Gudskelov fortsatte de deres kamp for at føre deres ideer ud i livet. De holdt fast i deres tro på, at det kunne lade sig gøre. De fejlede, men prøvede igen. Forfinede og lykkedes til sidst.

Bogtrykkerkunsten
Johannes Gutenberg opfandt i 1400-tallet det bevægelige enkeltbogstav – støbt i bly, så typen kunne gen-

bruges. Han opfandt altså bogtrykkerkunsten. Snedig type! Jeg tror ikke, at mange omkring ham formåede at forstå, hvad det ville udvikle sig til. Gad vide, hvor mange som troede på hans vision? Tænk at sætte så stort aftryk på alt. På verdensplan, i verdenshistorien!

Termometeret
Galileo Galilei var opfinder, og blandt mange andre ting, opfandt han i 1600-tallet termometeret, altså muligheden for at måle temperatur. Temmelig anvendeligt i mange henseender. Mon hans nabo forstod fidusen og bakkede ham op? Mon hans nabo havde visioner til at forstå omfanget af opfindelsen?

Regnemaskinen
Blaise Pascal opfandt regnemaskinen. Ret smart! Jeg er ret sikker på, at mange omkring ham troede, at han var skør. Det var så forløberen for Apple, anno 1642. Fantastisk! Jeg kan kun forsøge at forestille mig, hvor meget hovedrysten, han måtte ryste af sig.

Vi kan også tage et eksempel fra vores eget land og tid: Hvorfor skulle en frisør dog tro, at hendes ide til at produktudvikle et trusseindlæg skulle være genial? Hvorfra skulle en frisør have den fornødne kompetence til at vide bedre end alverdens forskere hos Libresse?

Nå, men det var den altså, og det gjorde hun altså. Tina Burchhardt fandt på at lave et trusseindlæg, som passede til g-strengs-trusser og er blevet millionær, fordi hun hverken lod sig begrænse af sin uddannelse eller noget andet. Hun var irriteret over, at der ikke fandtes trusseindlæg til g-strengs-trusser, så hun gik i gang med at klippe trusseindlæg og rette til.

Hun lod alle sine veninder afprøve forskellige udgaver, og så kontaktede hun Libresse. De gav hende et afslag, men et par år efter kontaktede hun dem igen, og så bed de på. Jeg var så heldig at møde hende en gang. Jeg var meget imponeret. Sådan, godt gået, Tina, nyd din velfortjente formue.

Så har du en ide, så sæt i gang NU. Det er det perfekte tidspunkt i dag. Ikke i morgen eller om en uge eller om et år, men NU.

Min søn proklamerede for nylig, at han vil opfinde en bil, som kører på CO_2. Jeg håber, at det lykkes, for det er skisme genialt! Gør det, Benjamin. Når min mor bakkede mig op, da jeg kom og erklærede, at jeg ville være astronaut, så bakker jeg dig også op i din CO_2-drevne bil.

Det er ikke kun i forretningslivet, jeg nægter at lade mig begrænse, men også privat. Jeg vil simpelthen ikke lade konventioner, skrevne og uskrevne regler styre mit liv. Engang var jeg anderledes. Da var det utrolig vigtigt for mig, at det hele var 'rigtigt'.

Jeg udvandrede engang juleaften fra mine forældres jagthytte, fordi bordet ikke var dækket, som jeg forestillede mig, det skulle være.

Jeg havde købt fin julepynt, og der skulle dækkes et rigtigt flot julebord. Da jeg var færdig, syntes mine forældre pludselig, at det var noget rod, der ikke var dækkeservietter på bordet, og de havde kun en slags: ovale plastikdækkeservietter med lilla sommerfugle på. Jeg skred i raseri. Jeg følte ikke, at jeg kunne hygge mig med de servietter, og jeg syntes, at de var nogle hestehandlere og hunderøve alle sammen, så jeg kørte – hele min jul var ødelagt.

I dag kan jeg ikke forestille mig noget mere patetisk, for det viser, hvor lidt i balance jeg var. Min sorg var helt ude af trit med virkeligheden. Servietterne lever endnu, og jeg holder lidt af dem, for de lærte mig en lektie. Jo flere regler man har, jo flere begrænsninger sætter man for sig selv, og desto sværere er det at leve.

Jeg vil ikke begrænse mig selv, men nogle gange falder jeg i alligevel. For eksempel med min løbetræning. Jeg plejede at løbe intervaltræning af en særlig væmmelig karakter med min løbetræner, som virkelig presser citronen (og mig).

Når jeg løber alene, løber jeg bare derudad – lidt intervalforskrækket er man vel altid. Så slog det mig: Hvorfor tror jeg ikke, at jeg kan løbe intervaltræning alene? Hvad er det for en latterlig overbevisning? Kan det virkelig passe? Gør den overbevisning noget godt for mig? Selvfølgelig ikke.

Og så kørte jeg ud i Dyrehaven – alene! Jeg kørte ud til min løbetræners yndlingstrappe, tonsede op og ned ad den trappe og havde min træner med i hjertet. Så løb jeg lange intervaller rundt om søen. Og jeg kunne godt. Uden ham.

171

Jeg kan, hvad jeg vil, og det føles så fedt. Jeg kan jo sagtens. Jeg havde bare bildt mig ind, at det kun var med pisken over nakken (læs: løbetræneren), at jeg kunne presse mig selv så hårdt.

> Hvis du venter på en solskinsdag, som er en mandag, gerne den første i en måned, hvor børnene er helt raske, dit parforhold kører perfekt, du har sparet op til krisetid, og dit hår sidder som en drøm, så er mit bud, at du nok aldrig kommer fra start. Den dag kommer aldrig.
>
> Den perfekte dag er i dag. Lige nu.

KAPITEL 17

VÆR STOLT AF DIG SELV

Hvorfor må vi ikke være stolte af os selv? Hvorfor må vi ikke fremhæve, hvad vi er gode til? Her kan vi virkelig lære noget af amerikanerne.

Som jeg har skrevet før, så har vi altid valg her i livet. Et af valgene er, at vi kan vælge noget, som vi vil være stolte af, eller vi kan vælge at gøre noget, som vi ikke er helt glade for, men som vi bare gør, fordi det er nemmest, vi ikke tør gøre andet eller af alle mulige andre grunde.

Jeg vælger at sige, at jeg vil leve mit liv på en måde, som mit fremtidige jeg bliver stolt over. Jeg vil vælge med hjertet. Jeg vil hjælpe folk, der har brug for det, om så det går ud over den tid, jeg bruger på min virksomhed.

Vi vil alle gerne anerkendes. Der er en tendens til at betragte det som noget negativt, og det forstår jeg ikke. Det er en af vores drivkræfter – at vi gerne vil ses, roses, elskes og ... anerkendes. Jeg vil have lov til at være stolt af mig selv, når jeg gør det godt. Og jeg tror, at meget ville være bedre, hvis vi alle turde handle og gøre ting, der gør os stolte af os selv, i stedet for at lade os styre af frygt.

Det smarte er, at når man ligger højt oppe på skalaen inden for et område, gør det ikke så meget, at man ligger nederst på skalaen inden for et andet område.

Hvis man insisterer på at være perfektionist, kan det være svært at rose sig selv, fordi man kan blive ved med at forfine og finpudse. Så husk at rose i processen, det er tit den, der fylder mest!

Da jeg var yngre, var det vigtigste for mig at være cool. Så hvis jeg opnåede noget stort, insinuerede jeg over for venner og familie, at det ligesom bare landede foran mine fødder på Fætter Højben-måden.

Nu er jeg 40 år, og jeg vil hellere være klog. Så kære venner og familie, det var mig selv, som ringede rundt og kæmpede for at give mine ideer liv. Jeg ringede til gud og hvermand. Jeg forfinede ideerne, indtil de fik grobund. Jeg kæmpede. Jeg ved godt, at jeg sagde, at de ringede til mig, og kun guderne ved, hvorfor jeg sagde det. Det var mig. Jeg kæmpede indædt. Til sidst lykkedes det.

Det var møghårdt. Jeg var ofte i tvivl. Jeg er ofte tvivl, men jeg gør det alligevel, og jeg tænker, så det knager. Jeg tænker så meget, at jeg tit må tage natten i brug for at nå at tænke alt igennem. Jeg finpudser konstant mit arbejde for at sikre holdbarheden. Jeg slås for mine værdier. Det er jeg stolt af. Det vil jeg gerne blære mig med.

Jeg kæmpede også, når det var svært at finde gnisten til at blive ved – især i starten, hvor ingen fattede interesse. Det lykkedes. Det er jeg stolt af. Det vil jeg også gerne blære mig med.

Jeg er stolt af den måde, jeg opdrager mine børn på.

Jeg er stolt af, at jeg selv har tegnet og indrettet min lejlighed.

Jeg er stolt af, at min lejlighed har været i boligmagasiner over hele verden.

Jeg er stolt af, at jeg har tabt mig 25 kilo.

Jeg er stolt af at være i god form.

Jeg er stolt af at være selvstændig.

Jeg er stolt af mit engagement i velgørenhedsarbejde.

Jeg er stolt af min handlekraft og mit mod.

Jeg er stolt af at have vundet forskellige priser.

Jeg er stolt af min humor. Jeg kan få folk til at grine.

Jeg er stolt af, hvor ærligt jeg lever.

Jeg er stolt af at være nogens forbillede.

Jeg er stolt af mig selv!

Og jeg vil gerne opfordre dig til at lave *din* liste. Hvad er du stolt af ved dig selv?

En af de ting, jeg er stolt af, er mine børn og den opdragelse, de har fået. Jeg tror på, at børn føler sig som en større del af familien, når de bidrager til familien. Jeg tror på, at børn føler en stolthed ved at være nyttige, fuldstændig som jeg selv har.

Jeg har faktisk også tit brug for en hjælpende hånd til at tømme opvaskemaskine, gå ned med skrald, dække bord eller løbe på tanken efter den fordømte manglende liter mælk til morgenmaden. Jeg sætter pris på det, det er altid rart at blive sat pris på, også for børn. Det kan også senere i livet vise sig praktisk for børn, at de er i stand til at tilberede et ordentligt måltid mad.

Til et forældremøde i min søns klasse for et par år siden diskuterede vi børns pligter. En far mente, at det er meget kompliceret at være barn i dag. At børnene skal forholde sig til mange flere ting, end vi skulle, da vi var børn. At det er krævende for dem, at de derfor ikke magter mere – underforstået: flere faste pligter. De havde ifølge ham brug for tid og ro til at definere, hvem de selv er. Uenig! Jeg tror, at børn i høj grad definerer sig selv ud fra, hvad de kan. At det opbygger dem at være selvstændige. Hjælpeløshed bidrager ikke i det regnestykke.

Jeg tror, at vores generations privilegerede er ved at opfostre næste generations umuliusser. Vores børn kan jo 'ingenting'.

178

Vi kører dem fra Herodes til Pilatus og tilbage igen, hvis *vi* har glemt madpakken til *dem*.

Hvad kommer der ud af det? Jeg bliver sindssyg, når jeg bliver ekspederet af en søvnig, bumset umulius i en kiosk, som skal bruge en lommeregner for at regne ud, hvad '100 kroner over beløbet' er. Jeg får indimellem ansøgninger fra praktikanter, som deres forældre har skrevet for dem. De forsøger ikke engang at skjule det: 'Jeg tillader mig at skrive på min søns vegne'. STOOOOOP! Du er ved at underminere din søns muligheder for nogensinde at få hår på brystet!

Curlingbørn er for tabere. Bowlingbørn er det nye sort. Ud i keglerne med dem. Jeg står selvfølgelig klar med plaster og kærlighed. Skærmer jeg mine børn ved ikke at lære dem at håndtere modstand, konflikt, nedtur og kaos?

Jeg vil meget hellere ruste mine børn til at klare sig selv, også når himlen ramler ned i hovedet på dem – for det kommer til at ske. Jeg vil hellere lære dem at kæmpe for deres drømme, bede om hjælp, vide, at verden ikke er retfærdig. Planen er jo, at de engang skal flyve fra reden.

Da Benjamin var seks år og gik i børnehaveklasse, afleverede jeg ham i skole den 2. januar. Jeg læssede ham af ude på vejen og så ham gå ind i sikkerhed i skolegården, så kørte jeg hjem. Problemet var bare, at skolen først åbnede den 3. januar. Det var ikke med vilje.

Benjamin sad lidt i skolegården og begyndte at undre sig over, at han var helt alene. Da klokken ringede til time, som den også gør på fridage, regnede drengen ud, at der var noget galt. Han gik ud på cykelstien midt i København, stoppede en cyklist og lånte hans telefon: 'Mor, jeg tror ikke, skolen har åbent i dag'. Jeg var meget flov, Benjamin var meget stolt, og jeg var faktisk meget stolt af ham. Han kunne klare sig.

Jeg opdrager temmelig gammeldags, når det kommer til manerer og høflighed. Mine børn skal være i stand til at sidde pænt og spise ordentligt. De skal sige tak for mad og tage ud af bordet. Min masterplan er, at de skal have en valgmulighed, når de bliver større og skal bestemme selv. Hvis de aldrig har lært det, har de reelt ikke nogen valgmulighed. Og sorry to say, men det er bare klamt at kunne se, hvad andre mennesker (også børn) har i munden, når de spiser.

Jeg takker hermed mine forældre for altid at forlange meget af mig. Jeg forstod det ikke, og jeg troede indimellem, at jeg var 80'ernes Askepot. Jeg husker engang, hvor jeg i ramme alvor proklamerede, at jeg ville på børnehjem. De gamle rullede rundt på gulvet og græd af grin. Tak for det. Det var sgu nok ret sundt.

Benjamin var for et par år siden i biografen med et par kammerater. Han var ti år dengang. Efter filmen ringede Benjamin hjem, fordi det regnede. Han ville gerne hentes, han forklarede mig, at de andre klassekammerater ville blive hentet af deres forældre. 'Well, Benjamin, du bliver våd. Du kan altid takke mig, når du bliver voksen ...'

Ligesom jeg husker at være stolt af mig selv, er det også en stor glæde for mig at rose andre. Det er vigtigt at fortælle

180

andre mennesker, når de inspirerer, så de ved, at de har den effekt på andre.

Jeg har altid købt små julegaver til de skønne voksne i børnehaver og vuggestuer, som har passet mine børn omsorgsfuldt for mig. Min søns klasselærer, som er en virkelig dedikeret lærer, får ofte sms'er fra mig, hvor jeg roser hans engagement, tålmodighed og iderigdom.

Jeg kunne drømme om, at flere fortalte andre mennesker, hvor vigtige de er i deres liv. Fra rengøringsdamen til forældre og venner. De seneste par år har jeg skrevet breve til mine forældre, hvor jeg takker dem for min fantastiske barndom. Jeg var ikke nogen nem teenager, vores forhold har slået mange gnister, men mine forældre gjorde altid det bedste, de formåede i enhver given situation. Det er altid godt nok. Og på mange måder var de geniale. De har været blændende forbilleder for, at vi skal leve vores drømme.

På vej til min storebrors 40-års fødselsdag blev jeg ramt af det ondeste maveonde og måtte køre hjem. Jeg fik aldrig holdt en tale for Marck. Jeg mangler at fortælle min storebror, hvor fantastisk han er. Så her er talen:

Kære Marck

Vi er så forskellige og alligevel så ens. På en eller anden måde gjorde du alting rigtigt, og jeg gjorde alting forkert. Vi landede heldigvis begge godt. Du med din korrekte universitetsuddannelse, din korrekte drømmebolig på landet, to skønne børn og en kone,

181

Anja, som du har elsket, siden I var teenagere. I har naturligvis to hunde, høns, kaniner, haver og æblemosteri.

Jeg beundrer dig stort. Er der noget, du ikke kan? Du kan skyde dyr med bue og pil. Du underviser andre i jagt og vildtpleje. Du kan reparere biler. Du er en fantastisk far. Du kan lave mad på den virkelig blærede, hjemmegjorte, selvhøstede måde, der ville få selv Bonderøven til at falde på røven. Du er sjov, følsom og klog. Du passer på dig selv, løber maraton, spiser sundt. Bager dit eget brød, go-home-Emmerys – køb en opskrift af min storebror!

Hele mit liv har jeg hørt 'Er Marck din bror? Han er pisseflink'. Og det er lige, hvad du er. Du er pisseflink, hjælpsom og ihærdig. Hvordan kan man være karrieremand, dedikeret far, dedikeret jæger, dedikeret fisker, en god ægtemand, en ihærdig kok, sportsmand og så også bygge et hus med egne næver?

Du imponerer mig. Jeg er stolt af, at du er min bror. Jeg ville ønske, vi så hinanden lidt mere. Det vil jeg gøre mit til. Simpelthen fordi jeg nyder dit selskab. Jeg elsker dig, Marck.

Kærlig hilsen din lillesøster

Hvem skal du skrive til?

Hvem mangler du at fortælle, at de er vigtige for dig?

182

Meget ville være bedre, hvis vi alle turde handle og gøre ting, der gør os stolte af os selv, i stedet for at lade os styre af frygt.

KAPITEL 18

OVERRASK DIG SELV

Jeg er lidt bange for vaner. I vanens magt forholder vi os ikke længere til det, vi foretager os. Vi gør bare tankeløst det samme, som vi gjorde i går. Din komfortzone bliver mindre og mindre, hvis du ikke konstant udfordrer den.

Når jeg holder foredrag, starter jeg med at synge. Helt alene foran publikum, bare mig og min stemme. Og tro mig – jeg er ikke nogen stor sanger. Jeg kan næppe imponere med min stemme, men det er heller ikke pointen. Pointen er, at jeg gerne vil gå foran med mit mod.

Sagen er den, at jeg var midt i 20'erne, før det gik op for mig, at nogle mennesker ikke brød sig om at tale foran en forsamling. Hvor skulle jeg vide det fra? Om jeg sidder i en sofa med mine unger og sludrer, eller om jeg står på en scene foran et publikum – fornemmelsen er den samme for mig. Men skal jeg synge, er jeg på dybt vand. Mine ben ryster og skælver, jeg tør dårligt åbne øjnene, for hvis jeg kan se 'dem', kan de jo også se mig. Og høre mig. Dét er angstprovokerende for mig.

Og derfor synger jeg. Fordi det er så sindssygt nervepirrende, og når jeg gør det, træder jeg en helt ny sti. Der sker noget, som jeg ikke har kontrol over. Og det udvikler mig. Det vil jeg gerne anbefale: at træde nye stier. Hold komfortzonen fra døren.

'Man ved, hvad man har, ikke hvad man får' er en god, gammel dansk måde at se tingene på. Det gammelkendte er trygt, og når vi går ad en ny sti, ved vi sjældent, hvor vi ender. Det kan være farligt, men det er også det, vi udvikler os af.

Det er i modgang og i høj bølgegang, at vi møder livet og gør os umage. Vi mennesker er født ambitiøse. Vi er forprogrammeret til at ville meget, men vores skabertrang bliver i for høj grad dulmet af shopping, tv og ligegyldigt fyld.

Vi er alle fyldt op med alle mulige overbevisninger. De gode overbevisninger er vores ven, og de fleste har fået dem i vuggegave: 'Jeg kan selv'. Det er en fantastisk mekanisme, som gør, at toårige børn med ti fumlefingre pludselig er i stand til at tage strømper på selv, men desværre ser jeg langt flere skadelige og hæmmende overbevisninger hos voksne, end jeg ser livsskabende og karrierefremmende.

'Det er ikke noget for mig' og 'Sådan har vi aldrig gjort' og 'Det kan jeg ikke'. SUK! Selvfølgelig kan du. Du kan i hvert fald forsøge, og allerede når du forsøger, er chancen væsentlig forbedret i forhold til, når du blot hiver i håndbremsen.

Jeg synes, mit liv er sindssygt spændende. Der er et uendeligt antal af døre foran mig, som jeg kan frit vælge at åbne, og jeg kan altid vælge om. Hvilke af dem jeg agter at gå ind ad, ved jeg ikke endnu, men jeg er fast besluttet på at forsøge dem, som jeg slet ikke ved, hvor fører hen. Det sikre valg er ikke for mig.

Jeg prøver også altid at huske på, at det også er et valg ikke at træffe et valg. Det er også et valg at fortsætte ad samme endeløse vej, man plejer at gå på. Et farligt ubevidst valg.

Dagens første valg træffer du det sekund, du vågner om morgenen. Hvordan skal denne dag være? Hvis du står op og mekanisk fortsætter, hvor du slap i går, så er det også et valg. Vanemennesket tager med glæde styringen. Vanemennesket er bare sjældent særlig passioneret.

Sæt spørgsmålstegn ved alt. Kan det virkelig passe? Er der en anden mulighed? Hvis jeg absolut *skal* det her lortearbejde, hvordan finder jeg så glæden ved det?

Gør det sjovere og lettere for dig selv. Musik kan tilsætte god energi til selv de kedeligste bilag eller den største opvask. Tag ansvar. Vær passioneret. Byd dit indre vanemenneske op til tango. Hør reggae. Surhed tåler ikke reggae ...

Jeg vil ikke gå i stå, men vil blive ved med at gøre ting, der overrasker mig! For eksempel har jeg meldt mig som vinterbader. Jeg hader koldt vand og kan næsten ikke tage mig sammen til at dyppe tåen om sommeren, fordi alt under 25 grader er for koldt til mig. Så at jeg skal være vinterbader, er en kæmpe overraskelse. Især for mig.

Sagen er, at mange af de mennesker, jeg ser mest op til, er vinterbadere. Jeg læser selvfølgelig alle interviews med folk, jeg beundrer, og begyndte at notere mig, at de alle ynder at fryse røven af i havet om vinteren.

Det lyder som akut sindssyge, mit karbad med varmt vand er mit ypperste helle, men nu har jeg lovet mig selv at prøve det af. Der må være et eller andet der, tænker jeg. Måske får jeg en klarere hjerne af det? Eller mere energi? Eller et nyt syn på tilværelsen? Jeg ved det ikke, men det skal prøves.

Til sommer skal jeg, til min lige så store overraskelse, på havkajak-kursus på Samsø Højskole. Det ville jeg aldrig have gættet. Hverken havkajak eller højskole lå lige for.

Jeg elsker at overraske – ikke kun mig selv, men også alle andre. Det kan være lige fra at gemme mig bag en dør og råbe 'bøh' til min kæreste til at arrangere en romantisk weekend, når jeg altså har en kæreste.

Hvis du går og venter på, at din partner giver dig en overraskelse, så tænk på, om du i stedet kan sørge for at overraske dig selv ved at gøre noget, som du aldrig har gjort før.

> I vanens magt forholder vi os ikke længere til det, vi foretager os. Vi gør bare tankeløst det samme, som vi gjorde i går.

KAPITEL 19

SE DIN FRYGT I ØJNENE

Jeg har spillet struds uden held. Det viste sig, at de problemer, jeg forsøgte at gemme mig for, var der endnu, når jeg tog hovedet ud af busken. Ofte var de endda blevet værre. Jeg vil til enhver tid hellere konfrontere problemer og konflikter, end jeg vil slås med dem alene inde i mig selv.

Jeg har en grundlæggende frygt. Det er frygten for, at jeg ikke lever mit liv fuldt ud. Nogle gange kan jeg blive helt sørgmodig ved tanken om, at jeg har spildt en dag – ikke fordi jeg forventer, at jeg skal udrette mirakler hver eneste dag, men jeg har denne her skrækindjagende frygt for at gå glip af mit eget liv.

Så selvom jeg af og til kan være bange for, at 'det her vil måske ikke gå', så gør jeg det alligevel. Jeg ser min frygt i øjnene, og hvis resultatet bliver godt, får jeg skabt en positiv historie og tør lidt mere næste gang.

Mange mennesker kører et *worst case scenario* i hovedet, når de står over for en beslutning. Det kan tage lang tid at beslutte sig, men for mig tager det et nanosekund, og så gør jeg det bare, for omkostningerne ved at lade være er meget større for mig end angsten for, at mit *worst case scenario* bliver virkelighed.

Hvis jeg så støder ind i en forhindring, så håndterer jeg den, i stedet for at gå og forudse den længe i forvejen, frygte den og forestille mig, hvor galt det dog kan komme til at gå. Sandsynligheden for, at alle vores værste forestillinger rent faktisk sker, er heldigvis ret lille, derfor er det spild af tid at gå og forestille sig alt, hvad der kan gå galt.

Et eksempel på hvor godt det kan gå, når man handler i stedet for at gå med en irrationel frygt:

Min gode, gode ven Lars har i mere end 17 år været der for mig gennem mine op- og nedture. Jeg holder afsindigt meget af ham. Selvom vi ikke ses hverken jævnligt eller tit, skatter jeg vores venskab højt. Jeg kan altid regne med ham. Hvis jeg sender en sms, som er lidt blå, ringer han på døren kort tid efter. Han er vigtig i mit liv.

Han havde været single i en del år. En dag skulle vi i biografen, så vi mødtes hjemme hos ham, og jeg bemærkede straks en damecykel i indkørslen. Jeg drillede ham med den. 'Hvem har dog glemt sin cykel?', og han svarede tørt 'Det bliver kun værre'.

Da vi kom ind i hans hus, noterede jeg straks blomster i vaser og farvestrålende puder i sofaen. Damen, som havde sin cykel stående i indkørslen, boede i huset! Da min forbløffelse havde lagt sig, blev jeg smittet af hans lykkefølelse. Han var fuldstændig forelsket, og jeg blev glad helt ind i hjertet.

Men senere begyndte frygten for at miste ham at trænge sig på. Jeg havde altid været lidt bange for den dag, en kvinde flyttede helt ind i Lars' hjerte, for tænk, hvis hun ikke kunne rumme vores venskab. Hele aftenen kørte frygten i loop, og næste morgen besluttede jeg mig for at afmystificere frygten og byde hende velkommen.

Jeg kørte forbi en blomsterhandler og derefter hen til hendes butik, vandrede ind (med træskostøvler på) og sagde noget a la 'Du må være en meget speciel kvinde. Du har stjålet min bedste vens hjerte. Jeg glæder mig meget til at lære dig at kende. Jeg hedder Michelle, og jeg har blomster med til dig'.

Hun blev afsindigt glad og har siden fortalt, at den velkomst betød alverden for hende. Godt jeg gjorde det. Godt jeg ikke bare blev ved tanken. Det gjorde mig glad. Det gjorde Lars glad. Det gjorde hende glad og endda også hendes familie og veninder.

Jeg kan ikke anbefale det nok. En lillebitte investering med et kæmpe afkast. Og selvfølgelig ved jeg godt, at det siges at være tanken, der tæller. Men igen: Det er altså handlingen, som virkelig batter!

Så jeg kan ikke sige det nok: 'Hvis du er bange – så gør det alligevel'. Se frygten i øjnene, og skub den så af vejen, så du kan komme i gang med at gøre lige netop det, der giver mening i dit liv.

Øvelse i at rydde op i bekymringer

Denne øvelse har jeg tit lavet. Den er rigtig god, hvis man har forskellige ting, der nager og plager en. Ting, man ikke har nået, ting, man bare skubber foran sig, ting, der bekymrer en og ligger som en tung sten om halsen. Alt muligt – intet er for stort og intet for småt.

◆ Skriv alle dine bekymringer ned på et stykke papir, og sæt dato ud for dem
◆ Sæt din kalender-alarm på en dato cirka tre uger frem i tiden
◆ Kig på sedlen, og slet dem, du har gjort noget ved. Dem, du endnu ikke har ordnet, skriver du endnu en dato ud for. Noter, hvis der er kommet flere
◆ Sæt kalender-alarmen cirka tre uger frem igen. Tag sedlen frem, gør det samme som sidst.

Denne øvelse er en meget effektiv måde at gøre problemerne synlige på, og det motiverer til at få udryddet dem en for en. Ydermere finder du hurtigt ud af, hvad det er, som du ikke handler på. Når du gentager øvelsen over flere måneder, står det pludselig sort på hvidt. Det bliver pludselig meget tydeligt, hvor meget tid du spilder på at bekymre dig om noget, du intet gør ved. Måske giver lige netop den seddel sparket til endelig at gå i aktion.

Hvis du er bange – så gør det alligevel.

KAPITEL 20

ACCEPTER DET, DU ALLIGEVEL IKKE KAN ÆNDRE

Hvis du ikke kan ændre på en situation, så lad være med at ærgre dig over den. Skæld ikke dig selv ud for at lave en bule i bilen. Ikke før tidsmaskinen er opfundet. At slås mod det uundgåelige er den største energistøvsuger af dem alle.

Jeg har lært mig at acceptere virkeligheden. Hvis der sker noget, som det står uden for min magt at ændre, accepterer jeg tingenes tilstand. Hvad får vi ud af at hidse os op over noget, som vi ikke har magt til at ændre? Ingenting. Absolut ingenting.

Hvis jeg får en parkeringsbøde, fordi jeg holder ulovligt parkeret, kan jeg vælge at sige: 'O.k., jeg har parkeret et sted, jeg ikke måtte. Ansvaret er mit, så jeg betaler og glemmer alt om den bøde'. Eller jeg kan rase i 14 dage over, hvor irriterende det er, at jeg nu skulle betale de penge.

Når vi står i køen i Bilka, kommer vi ikke frem før tid, fordi vi bliver vildt frustrerede over, hvor langsomt køen snegler sig af sted. Eller når vi holder i en motorvejskø.

Uanset om vi ulmer af utålmodighed, eller om vi accepterer, at det her kommer til at tage lidt tid, når vi frem på samme tid. Hvorfor så ikke vælge at acceptere virkeligheden? 'Sådan er det bare, og det står ikke i min magt at ændre, så må jeg få det bedste ud af det'.

Hvis jeg kommer til at køre en omvej, eller drejer til højre i stedet for til venstre, gider jeg ikke spilde min tid med at ærgre mig og fortryde: 'Jeg skulle have drejet til højre'. Det er ikke konstruktivt, det er – spild af tid. I stedet tænker jeg: 'Nå, hvordan kommer jeg så frem, når nu jeg har drejet forkert?'

Da jeg på et tidspunkt var økonomisk ruineret, nægtede jeg at lade det æde mig op. Kreditorerne ringede, og jeg kunne ikke betale husleje, men jeg sov roligt om natten, for jeg kunne ikke betale på det tidspunkt. Sådan var det bare, så jeg lod det ikke stresse mig.

Når man først accepterer det uundgåelige, får man ro indeni.

Det er enormt energibelastende at være sammen med folk, der bitcher over ting, de ikke kan lave om. Men det er næsten endnu værre at være sammen med folk, som jamrer over noget, som de rent faktisk kan ændre. Hvis de bare bliver ved med at brokke sig og nægter at flytte sig ud af stedet.

Accepter, eller gør noget ved det. Intet midtimellem. Alt imellem accept og handling er bare smerte, ærgrelse og bekymringer. Tidsspilde.

Når jeg skriver om at acceptere det uundgåelige, betyder det netop, at man skal acceptere det, der *ikke* kan laves om. Det betyder så absolut ikke, at man skal overføre det på situationer, hvor man rent faktisk kan handle.

Jeg er blevet fyret fra flere arbejdspladser, fordi jeg nægter at makke ret. De steder, jeg blev fyret fra, har jeg været en torn i øjet på chefen på grund af min insisteren og ærlighed – for eksempel ringede jeg til en og sagde: 'Jeg magter ikke komme i dag. Jeg er ikke syg, men jeg har ikke haft en sygedag, og det vil jeg gerne tage i dag'. Jeg gad ikke lyve mig syg. Helt ærligt – vi var to voksne mennesker, og jeg havde langt færre sygedage end de andre i firmaet, så hvorfor lyve?

Jeg tror, at hvis man først bider en ting i sig, og så en ting til og endnu en ting, ender man med at blive følelsesløs.

Allerede som lille har jeg haft en urokkelig tro på, at jeg selv kunne ændre tingenes tilstand:

Da jeg var otte år, kom min mor hjem med en hel masse farvede papirer til mig fra sin arbejdsplads. Det mindede lidt om farvehandlerens farveprøver, og jeg blev så glad for papirerne. Jeg klippede og klistrede og havde en fest, men de blev hurtigt brugt, så jeg gik ind til min mor og bad om mere. Min mor sagde, at der var ikke mere, og det var for dyrt at købe.

Det ville jeg ikke acceptere.

Nogle dage senere kom min mor hjem, og her sad jeg lykkeligt og klistrede og klippede, med papir alle vegne.

Jeg havde slået op i telefonbogen og ringet til alle papirvirksomheder i hele Danmark og bestilt papirprøver – nogen sendte ikke, men rigtig mange gjorde.

Jeg havde resterne af de papirer i årevis, og som voksen mindede de mig om, at det er muligt at handle på noget, man gerne vil ændre. Omvendt: Hvis det drejer sig om noget, man ikke selv er herre over, som for eksempel vejret, må man acceptere, at 'sådan er det bare' i stedet for at bruge energi på at rase over det uundgåelige.

Det er den første historie, jeg har fra mit liv, hvor jeg opdager, at der sker noget ekstraordinært, når man gør noget ekstraordinært. Det har siden været en vigtig sandhed for mig.

> Accepter, eller gør noget
> ved det. Alt imellem accept
> og handling er bare smerte,
> ærgrelse og bekymringer.
> Tidsspilde.

De vigtigste ting, livet har lært mig indtil nu

1 Det hjælper altid at tale med nogen om det, der 'blinker'. Altid. Uden undtagelse.

2 Dæmonerne kan ikke lide frisk luft. Gå en tur. Også hvis det regner.

3 Hvor uhensigtsmæssigt det end er, så kan du ikke fjernstyre de andre. Drop 'Hvis bare han/hun gjorde/forstod/sagde'.

4 Accepter, eller gør noget ved det. Alt imellem accept og handling er smerte og bekymringer.

5 Begge parter har sandsynligvis ret i deres fuldstændig forskellige opfattelse af samme situation. Samme situation opfattes så forskelligt, at beskyldninger om løgn kommer i kølvandet. Det gavner ikke.

6 Hold fokus på, hvad du gerne vil opnå.

7 Det er ikke meningen, at jeg skal forstå alt. Jeg har brugt uendelig meget energi på 'Hvis bare jeg forstod'. Hvis jeg kæmper for at forstå noget, men ikke kan, så skal jeg slippe det, inden det æder mig.

8 There is a crack in everything, that's how the light gets in (Leonard Cohen).

9 Materielle ting er ikke det vigtigste i verden.

10 Når du åbner dig op for et andet menneske, om stort eller småt, er det dig, som vælger hvornår. Dem, du involverer, har ikke indflydelse på, at det blev netop den dag. Giv dem tid til at kapere det, du siger. Forvent ikke, at de står klar til at gribe den bold, du kaster, medmindre de har bedt dig kaste den.

EFTERORD

Skru op for livet. Elsk de mennesker, du omgiver dig med. Gør noget ved dine drømme. Del ud af dig selv og alle dine ressourcer. Grin meget. Vis verden, når du er ked af det. Mærk efter, hvordan du har det. Nyd alt det skønne. Vær åben for livet og verden. Vær ærlig over for dig selv og dine omgivelser. Gør dig umage med, hvad end du gør i livet. Vær ikke bange for at fejle. Rejs ud i verden, den er afsindigt interessant og mere værd end alverdens tasker og sko. Pas på din krop, du bliver aldrig hel i hjertet uden at få kroppen med. Bevæg dig udenfor, sug masser af frisk luft. Slut fred med din økonomi, den er ikke din virkelighed. Lad dig ikke begrænse af hverken 'plejer', normer eller dine relationer. Vær stolt af alt det, du gør og kan. Ros dig selv. Gør noget uventet – tit. Hvis du er bange for noget, så gå det i møde. Og accepter alt det, som du alligevel ikke har indflydelse på.

Det er mit regelsæt. Mit livs manifest. Nu skal du lave dit eget, for rigtig brugt er livet langt nok.

Jeg har skrevet bogen til dig, fordi jeg ønsker at inspirere dig til at skrue lidt op for livet.

Jeg er ofte blevet spurgt: Hvordan gør du? Hvordan tør du? Og jeg har ofte mødt kommentaren: 'Bare jeg kunne kravle ind i din hjerne lidt'. Det forundrer mig og gør mig glad. Nu har jeg forsøgt at svare og lukke dig lidt ind i min hjerne. Jeg har åbnet helt op, beskrevet det hele så godt og detaljeret, jeg kunne. Jeg håber, jeg ramte plet?

Hvis jeg har fundet en vej til at leve livet modigt, ønsker jeg oprigtigt at dele opskriften med dig og alle, som kan få glæde af det. Min drøm er, at endnu flere mennesker sætter handling bag tanker og handling bag ord. Lever livet klogt og modigt.

Hvis det er lykkedes, sidder du lige nu med en følelse af at være i stand til at handle. Sæt i gang nu, mens følelsen og energien er der. Skriv dit eget manifest. Lav en liste over, hvad der er vigtigst for dig i dit liv. Stjæl med arme og ben fra alle de mennesker, du ser op til, lad dig inspirere af alle, som gør noget af det, du drømmer om. Du kan selv. Lad ingen fortælle dig andet. Gør noget ved det. Sæt mål for dig selv med datoer på. Så tiden ikke smuldrer mellem fingrene på dig, for pludselig er det nytårsaften igen.

God fornøjelse. Ha' en god dag (næsten) hver dag. Dit liv er dit forbandede og fantastiske ansvar.

Kærlig hilsen
Michelle Hviid